L'homme qu

Edgar Wallace

Writat

Cette édition parue en 2023

ISBN : 9789359253220

Publié par
Writat
email : info@writat.com

Contenu

CHAPITRE I

L'HOMME AU LABORATOIRE

La pièce était petite et avait été choisie pour son éloignement des pièces d'habitation. C'était là la salle de billard que l'ancien propriétaire de Weald Lodge avait ajoutée à ses locaux, et John Minute, qui n'avait ni le temps ni la patience pour le billard, avait volontiers remis cette annexe humide à son secrétaire scientifique.

D'un côté se trouvait un banc en bois ordinaire rempli d'alambics en verre et de tubes à essai. Au milieu se trouvait une table aussi simple, avec une demi-douzaine de livres, un microscope sous un abat-jour en verre, une petite caisse en bois ouverte pour exposer une gamme d'instruments scientifiques délicats, un bec Bunsen qui brûlait en bleu sous un petit verre. bol à moitié rempli d'une sorte de concoction sombre et turgescente.

Le visage de l'homme assis à table et regardant ce ragoût peu recommandable était caché derrière un masque en mica et en caoutchouc, car les vapeurs qui se dégageaient du liquide n'étaient ni agréables ni saines. À l'exception d'une lumière tamisée sur la table et de la lueur bleue de la lampe Bunsen, la pièce était dans l'obscurité. De temps en temps, l'étudiant prenait une tige de verre, la plongeait un instant dans le liquide bouillant et, la soulevant, laissait tomber le liquide goutte à goutte de la tige sur une bande de papier de tournesol. Ce qu'il vit était évidemment satisfaisant, et bientôt il éteignit la lampe Bunsen, se dirigea vers la fenêtre, l'ouvrit et alluma un ventilateur électrique pour faciliter le processus de ventilation.

Il ôta son masque, révélant le visage d'un beau jeune homme, plutôt pâle, avec une légère moustache foncée et de lourds cheveux noirs et ondulés. Il ferma la fenêtre, remplit sa pipe de la pochette usée qu'il sortit de sa poche et se mit à écrire sur un cahier, s'arrêtant de temps en temps pour consulter quelque autorité tirée des livres devant lui.

En une demi-heure, il avait terminé ce travail, avait effacé et fermé son livre, et, repoussant sa chaise, s'était livré à la rêverie. Ce n'étaient pas des pensées agréables à en juger par son visage. Il sortit de sa poche intérieure un étui en cuir et l'ouvrit. De là, il a pris une photo. C'était la photo d'une jeune fille de seize ans. C'était une jolie figure, un peu triste, mais attirante dans sa faiblesse même. Il le regarda longuement, secouant la tête comme à une pensée désagréable.

On frappa doucement à la porte, et rapidement il replaça la photo dans son étui, la plia et la remit dans sa poche alors qu'il se levait pour déverrouiller la porte.

John Minute, qui entra, renifla avec méfiance.

"Quelle odeur bestiale tu as ici, Jasper!" grogna-t-il. "Pourquoi diable n'inventent-ils pas des produits chimiques plus agréables au nez ?"

Jasper Cole rit doucement.

"Je crains, monsieur, que la nature en ait décidé autrement", a-t-il déclaré.

"As tu fini?" » a demandé son employeur.

Il regarda le bol de liquide encore chaud avec méfiance.

"Tout va bien, monsieur," dit Jasper. "Ce n'est nocif que lorsqu'il bout. C'est pourquoi je garde la porte verrouillée."

"Qu'est-ce que c'est?" » demanda John Minute, fronçant les sourcils devant l'alcool inoffensif.

"C'est beaucoup de choses", dit l'autre tristement. "En fait, c'est une expérience. Le bol contient un ou deux éléments qui ne se mélangeront aux autres qu'à une certaine température, et comme expérience elle est réussie car j'ai maintenu en suspension les éléments non mélangeables, bien que le liquide est devenu froid. "

"J'espère que vous apprécierez votre dîner, même s'il est froid", grommela John Minute.

"Je n'ai pas entendu la cloche, monsieur", a déclaré Jasper Cole. "Je suis terriblement désolé si je t'ai fait attendre."

Ils étaient les seuls présents dans la grande salle à manger à l'aspect noir, et le dîner fut, comme d'habitude, un repas assez silencieux. John Minute lisait les journaux, en particulier la partie d'entre eux qui traitait des dernières fluctuations du marché boursier .

"Quelqu'un a acheté Gwelo Deeps", se plaignit-il bruyamment.

Jasper leva les yeux.

« Les Profondeurs de Gwelo ? » il a dit. "Mais ce sont les actions—"

"Oui, oui", dit l'autre d'un air irrité ; "Je sais. Ils ont été cotés à un shilling la semaine dernière ; ils vont jusqu'à deux shillings et trois pence . J'en ai cinq cent mille ; pour être exact," se corrigea-t-il, "j'en ai un million." , bien que la moitié ne soit pas ma propriété. Je suis presque tenté de vendre.

"Peut-être qu'ils ont trouvé de l'or," suggéra Jasper.

John Minute renifla.

"S'il y a de l'or dans les profondeurs de Gwelo , il y a des diamants dans les profondeurs", a-t-il déclaré avec mépris. "Au fait, les cinq cent mille autres actions appartiennent à May."

Jasper Cole haussa les sourcils autant en signe d'interrogatoire que de surprise.

John Minute s'appuya en arrière sur sa chaise et manipula son cure-dent en or.

"Le père de May Nuttall était le meilleur ami que j'aie jamais eu", a-t-il déclaré d'un ton bourru. "Il m'a attiré dans les profondeurs de Gwelo contre mon meilleur jugement. Nous avons coulé un puits de trois mille pieds et avons tout trouvé sauf de l'or."

Il eut un de ses brefs rires grondants.

"J'aurais aimé que le mien soit un succès. Pauvre vieux Bill Nuttall ! Il m'a aidé dans certaines situations difficiles."

"Et je pense que vous avez fait de votre mieux pour sa fille, monsieur."

"C'est une gentille fille", a déclaré John Minute, "une chère fille. Je ne suis pas attiré par les filles." Il fit une grimace. "Mais May est aussi honnête et douce qu'ils le font. C'est le genre de fille qui vous regarde dans les yeux quand elle vous parle ; il n'y a pas de foutues bêtises à propos de May."

Jasper Cole dissimula un sourire.

« De quoi diable souriez-vous ? » demanda John Minute.

"Je pensais aussi qu'il n'y avait aucune absurdité à son sujet", a-t-il déclaré.

John Minute se retourna.

"Jasper," dit-il, "May est le genre de fille que j'aimerais que tu épouses ; en fait, c'est *la* fille que j'aimerais que tu épouses."

"Je pense que Frank aurait quelque chose à dire à ce sujet", dit l'autre en remuant son café.

"Franc!" renifla John Minute. "Qu'est-ce que ça m'importe de Frank ? Frank doit faire ce qu'on lui dit. C'est un jeune homme chanceux et un peu coquin aussi, je pense. Frank épouserait n'importe qui avec un joli visage. Eh bien, si je n'était pas intervenu—"

Jasper leva les yeux.

"Oui?"

"Peu importe", grogna John Minute.

Comme c'était son habitude, il resta assis longtemps pendant le dîner, à moitié éveillé et à moitié endormi. Jasper avait annexé un des journaux et était en train de le lire. C'était la routine qui marquait chaque soir de sa vie, sauf lors de ses visites à Londres. Il était en train de lire un article d'un célèbre scientifique sur l'émanation du radium, lorsque John Minute reprit une conversation qu'il avait interrompue une heure plus tôt.

"Je m'inquiète parfois pour May."

Jasper reposa son papier.

"Inquiet ! Pourquoi ?"

"Je suis inquiet. N'est-ce pas suffisant ?" grogna l'autre. "J'aimerais que tu ne me poses pas beaucoup de questions, Jasper. Tu m'irrite au-delà de toute endurance."

"Eh bien, je suppose que vous êtes inquiet", dit patiemment sa secrétaire de confiance, "et que vous avez de bonnes raisons."

"Je me sens responsable d'elle et je déteste les responsabilités de toutes sortes. Les responsabilités des enfants—"

Il grimaça et changea de sujet, et n'y revint pas avant plusieurs jours.

Au lieu de cela, il a ouvert une nouvelle ligne.

"Le sergent Smith était là quand j'étais absent, je comprends", a-t-il déclaré.

"Il est venu cet après-midi, oui."

"L'avez-vous vu?"

Jasper hocha la tête.

« Que voulait-il ?

"Il voulait te voir, d'après ce que j'ai pu comprendre. Tu disais l'autre jour qu'il buvait."

"Boissons!" dit l'autre avec mépris. "Il ne boit pas, il le mange. Que pensez-vous du sergent Smith ?" il a ordonné.

"Je pense que c'est une personne très curieuse", dit franchement l'autre, "et je ne comprends pas pourquoi vous vous donnez tant de mal pour le protéger ou pourquoi vous lui envoyez de l'argent chaque semaine."

"Un de ces jours, tu comprendras", dit l'autre, et sa prophétie allait s'accomplir. "Pour le moment, il suffit de dire que s'il y a deux manières de sortir d'une difficulté, dont l'une est désagréable et l'autre moins désagréable, je prends la moins désagréable des deux. Il est moins désagréable de payer le sergent Smith une allocation hebdomadaire que d'être ennuyé, et je serais très certainement ennuyé si je ne le payais pas."

Il se leva lentement de sa chaise et s'étira.

"Sergent Smith," répéta-t-il, "est une proposition assez difficile. Je sais, et je le connais depuis des années. Dans mon entreprise, Jasper, j'ai dû connaître des personnes homosexuelles, et j'ai dû faire quelques des choses étranges. Je ne suis pas sûr qu'elles auraient l'air bien imprimées, même si je ne suis pas sensible à ce que les journaux disent de moi ou j'aurais dû être dans ma tombe il y a des années ; mais le sergent Smith et ses connaissances me touchent à vif. Vous êtes toujours en train de jouer avec des stupéfiants et des cochonneries de toutes sortes, et vous comprendrez quand je vous dirai que l' argent que je donne chaque semaine au sergent Smith a un double objectif. C'est un opiacé et un prophylaxie... "

"Prophylactique", suggéra l'autre.

"C'est le mot", a déclaré John Minute. "Je n'ai jamais été une baleine au long uns ; quand j'avais douze ans , je ne savais pas écrire mon propre nom, et quand j'avais dix-neuf ans, je l'épelais avec deux n."

Il rit encore.

« Opiacé et prophylactique », répéta-t-il en hochant la tête. "C'est le sergent Smith. C'est un diable dangereux parce que c'est un coquin."

"L'agent Wiseman—" commença Jasper.

"Le gendarme Wiseman", rétorqua sèchement John Minute en passant la main dans ses cheveux gris ébouriffés, "est un diable dangereux parce que c'est un imbécile. Pourquoi le gendarme Wiseman est-il venu ici ?"

"Il n'est pas venu ici," sourit Jasper. "Je l'ai rencontré sur la route et j'ai eu une petite conversation avec lui."

"Vous auriez pu être mieux employé", a déclaré John Minute d'un ton bourru. "Cet idiot m'a convoqué trois fois. Un de ces jours, je le ferai expulser de la police."

"Ce n'est pas un mauvais type", apaisa Jasper Cole. "Il est plutôt stupide, mais sinon c'est un homme honnête, bien conduit et qui a le sens de la loi."

"A-t-il dit quelque chose qui mérite d'être répété ?" » demanda John Minute.

"Il disait que le sergent Smith est un disciplinaire."

"Je ne connais personne de plus disciplinaire que le sergent Smith", dit l'autre sarcastiquement, "particulièrement lorsqu'il se remet d'un jag. Le sens du devoir le plus aigu est celui que possède un homme qui a enfreint la loi et n'a pas été retrouvé. Je crois que je vais me coucher", ajouta-t-il en regardant l'horloge sur la cheminée. "Je monte en ville demain. Je veux voir May."

"Est-ce que quelque chose t'inquiète ?" » demanda Jasper.

"La banque m'inquiète", dit le vieil homme.

Jasper Cole le regardait fixement.

"Qu'est-ce qui ne va pas avec la banque ?"

"Il n'y a rien de mal avec la banque, et le fait de savoir que mon cher neveu, Frank Merrill, écuyer, est comptable dans l'une de ses succursales, dissipe dans mon esprit tout doute persistant quant à sa stabilité. Et je souhaite au ciel que vous obteniez par habitude de me demander « pourquoi » cela arrive ou « pourquoi » je fais cela. »

Jasper alluma un cigare avant de répondre :

"La seule façon de découvrir des choses dans ce monde est de poser des questions."

"Eh bien, demandez à quelqu'un d'autre", a tonné John Minute à la porte.

Jasper reprit son journal, mais ne devait pas être laissé au plaisir qu'offraient ses colonnes, car cinq minutes plus tard, John Minute apparaissait dans l'embrasure de la porte, sans cravate ni manteau, après avoir été surpris en train de se déshabiller avec une idée qui réclamait développement.

"Envoyez un câble demain matin au directeur de Gwelo Deeps et demandez-lui s'il y a un rapport. Au fait, vous êtes le secrétaire de la société. Je suppose que vous le savez ?"

"Suis-je?" » demanda Jasper surpris.

"Frank l'était, et je ne suppose pas qu'il ait fait le travail maintenant. Vous feriez mieux de vous renseigner sinon vous me causerez beaucoup d'ennuis avec le registraire. Nous devrions avoir une réunion du conseil d'administration."

"Suis-je aussi les réalisateurs ?" » demanda innocemment Jasper.

"C'est très probable", a déclaré John Minute. "Je sais que je suis président, mais il n'a jamais été nécessaire de tenir une réunion. Vous feriez mieux de vous renseigner auprès de Frank quand la dernière a eu lieu."

Il s'en alla, pour réapparaître un quart d'heure plus tard, cette fois en pyjama.

"Cette mission que May est en train d'exécuter", commença-t-il, "ils manquent probablement d'argent. Vous pourriez vous renseigner auprès de leur secrétaire. *Ils* auront une secrétaire, je serai lié ! S'ils veulent quelque chose, envoyez-le-leur."

Il se dirigea vers le buffet et se prépara un whisky et un soda.

"Je suis sorti depuis trois ou quatre fois que Smith a appelé. S'il vient demain, dites-lui que je le verrai à mon retour. Verrouillez les portes et ne laissez pas ce crétin s'en occuper, Wilkins."

Jasper hocha la tête.

« Tu penses que je suis un peu en colère, n'est-ce pas, Jasper ? » demanda l'homme plus âgé, debout près du buffet, le verre à la main.

"Cette pensée ne m'est jamais venue à l'esprit," dit Jasper. "Je pense que vous êtes parfois excentrique et enclin à exagérer les dangers qui vous entourent."

L'autre secoua la tête.

"Je mourrai d'une mort violente, je le sais. Quand j'étais au Zoulouland, un vieux sorcier 'a jeté les os'. Vous n'avez jamais vécu cette expérience ? »

"Je ne peux pas dire que oui," dit Jasper avec un petit sourire.

"Vous pouvez rire de ce genre de choses, mais je vous dis que j'y ai une grande foi. Une fois dans le kraal du roi et une fois à Echowe , cela s'est produit, et les deux sorciers m'ont dit la même chose : que je mourir par la violence. Avant, je ne m'en inquiétais pas beaucoup, mais je suppose que je vieillis maintenant et que, vivant entouré par la loi, pour ainsi dire, je suis trop respectueux de la loi. Un homme respectueux de la loi est quelqu'un qui a peur des gens qui ne respectent pas la loi, et j'arrive à ce stade. Vous vous moquez de moi parce que je suis nerveux chaque fois que je vois un étranger traîner dans la maison, mais j'ai plus d'ennemis dans la cour carrée "Je suppose que vous pensez que je suis sujet à des illusions et que je devrais être mis sous contrainte. Un homme riche ne passe pas des moments très heureux", a-t-il poursuivi, s'adressant moitié à lui-même et moitié au jeune. homme. "J'ai rencontré toutes sortes de gens dans ce pays et on m'a présenté comme John Minute, le millionnaire, et savez-vous ce qu'ils disent dès que je leur tourne le dos ?"

Jasper n'offrit aucune suggestion.

"Ils disent ceci", a poursuivi John Minute, "qu'ils soient jeunes ou vieux, bons, mauvais ou indifférents : 'J'aimerais qu'il meure et me laisse une partie de son argent.'"

Jasper rit doucement.

"Vous n'avez pas une très bonne opinion de l'humanité."

« Je n'ai aucune opinion sur l'humanité, corrigea son chef, et je vais me coucher.

Jasper entendit ses pieds lourds dans les escaliers et leur bruit sourd au-dessus de sa tête. Il attendit quelque temps ; puis il entendit le lit grincer. Il ferma les fenêtres, inspecta personnellement les fermetures des portes et se rendit à son petit bureau au premier étage.

Il ferma la porte, sortit l'étui, jeta un coup d'œil au portrait, puis prit une lettre non ouverte qui était arrivée ce soir-là et que, grâce à son maniement habile du courrier, il avait pu faire passer clandestinement dans sa poche. sans l'observance de John Minute.

Il ouvrit l'enveloppe, en sortit la lettre et lut :

> CHER MONSIEUR, Votre précieuse faveur est à portée de main. Nous devons vous remercier pour le chèque et nous sommes très heureux de vous avoir rendu un service satisfaisant. La recherche a été très longue et, je le crains, très coûteuse pour vous-même, mais maintenant que cette découverte a été faite , j'espère que vous vous sentirez récompensé pour votre énergie.

Le billet ne portait aucun titre et était signé « JB Fleming ».

Jasper le lut attentivement, puis, frappant une allumette, alluma le papier et le regarda brûler dans la cheminée.

CHAPITRE II

LA FILLE QUI A PLEURÉ

Le Northern Express avait déposé ses passagers à temps à King's Cross. Toutes les approches de la gare étaient bondées de passagers pressés. Taxis et « growlers » se mêlaient dans une confusion apparemment inextricable. Il y eut un brouhaha rugissant d'instructions et de contre-instructions de la part des policiers, des chauffeurs de taxi et des porteurs excités. Certains passagers se précipitèrent à travers le vaste espace asphalté et disparurent dans les escaliers en direction de la station de métro. D'autres attendaient des amis non ponctuels en protestant et en examinant fréquemment leurs montres.

Un seul semblait complètement déconcerté par le bruit et l'agitation. C'était une jeune fille d'à peine dix-huit ans et elle se débattait avec deux ou trois paquets de papier kraft, une boîte à chapeau et un sac à main volumineux. Elle faisait partie de ceux qui s'attendaient à être accueillis à la gare, car elle regardait l'horloge, impuissante, et errait d'un côté à l'autre du bâtiment jusqu'à ce qu'elle finisse par s'arrêter au centre, déposa soigneusement tous ses colis, et, sortant une lettre d'un petit sac miteux, l'ouvrit et la lut.

De toute évidence, elle vit quelque chose qu'elle n'avait pas remarqué auparavant, car elle replaça en toute hâte la lettre dans le sac, rassembla ses paquets et sortit rapidement de la gare. Elle s'arrêta de nouveau et regarda la cour sombre.

"Ici!" » claqua une voix irritée. Elle aperçut la porte d'un taxi ouverte et s'y dirigea timidement.

"Entrez, entrez, pour l'amour du ciel !" dit la voix.

Elle déposa ses colis et monta dans le taxi. Le propriétaire de la voix ferma la porte avec fracas et le taxi repartit.

"J'attends ici depuis dix minutes", a déclaré l'homme dans le taxi.

"Je suis vraiment désolé, chérie, mais je n'ai pas lu—"

— Bien sûr que vous n'avez pas lu, interrompit brusquement l'autre.

C'était la voix d'un jeune homme pas de très bonne humeur, et la jeune fille, croisant les mains sur ses genoux, se prépara à la tirade qui, elle le savait, allait suivre son acte d'omission.

"Vous ne semblez jamais être capable de faire quoi que ce soit de bien", a déclaré l'homme. "Je suppose que c'est ta stupidité naturelle."

"Pourquoi n'as-tu pas pu me retrouver à l'intérieur de la gare ?" » demanda-t-elle avec une certaine démonstration d'entrain.

"Je t'ai dit une douzaine de fois que je ne voulais pas être vu avec toi", dit brutalement l'homme. "J'ai déjà eu assez de problèmes à cause de toi. J'aimerais au ciel de ne jamais t'avoir rencontré."

La jeune fille aurait pu faire écho à ce souhait, mais dix-huit mois d'intimidation l'avaient intimidée et presque brisée.

"Tu es une pierre autour de mon cou", dit l'homme avec amertume. "Je dois te cacher, et tout le temps je me demande si tu vas me trahir ou non. Je vais te garder sous mes yeux maintenant," dit-il. "Tu en sais un peu trop sur moi."

"Je ne devrais jamais dire un mot contre toi", protesta la jeune fille.

"J'espère que, pour votre bien, vous ne le ferez pas", fut la sombre réponse.

La conversation se détendit à partir de ce moment jusqu'à ce que la jeune fille reprenne le courage de demander où ils allaient.

"Attendez et voyez", a lancé l'homme, mais il a ajouté plus tard : "Vous allez dans une maison bien plus agréable que celle que vous avez jamais eue dans votre vie, et vous devriez être très reconnaissant."

" En effet , ma chère", dit la jeune fille avec sérieux.

"Ne m'appelle pas 'chéri'", gronda son mari.

Le taxi les conduisit à Camden Town et ils descendirent devant une maison d'apparence respectable dans une rue longue et monotone. Il faisait trop sombre pour que la jeune fille puisse prendre conscience de ce qui l'entourait et elle eut à peine le temps de rassembler ses paquets que l'homme ouvrit la porte et la poussa à l'intérieur.

Le taxi est reparti et un motocycliste, qui le suivait depuis tout ce temps, a fait rouler lentement son engin depuis le coin de la rue où il l'avait attendu jusqu'à arriver en face de la maison. Il abaissa les supports de sa machine, monta furtivement les marches et alluma une lampe sur les chiffres émaillés au-dessus de l'imposte de la porte. Il nota les chiffres dans un carnet, redescendit les marches et, faisant reculer un peu sa machine, monta à bord et repartit.

Une demi-heure plus tard, un autre taxi s'est arrêté à la porte et un homme est descendu en disant au chauffeur d'attendre. Il monta les marches, frappa et fut admis peu de temps après.

"Bonjour, Crawley !" dit l'homme qui lui avait ouvert la porte. "Comment ça va?"

"Pourri", dit le nouveau venu. "Pourquoi me veux-tu?"

C'était la voix d'un homme inculte, mais son ton était celui d'un égal.

"Pourquoi penses-tu que je te veux?" demanda sauvagement l'autre.

Il nous conduisit au salon, alluma une allumette et alluma le gaz. Son sac était par terre. Il le ramassa, l'ouvrit et en sortit une flasque de whisky qu'il tendit à l'autre.

"Je pensais que tu pourrais en avoir besoin", dit-il sarcastiquement.

Crawley prit la flasque, en versa une gorgée bien raide et la but d'un trait. C'était un homme d'une cinquantaine d'années, sombre et austère. Son visage était ridé et bronzé comme celui d'un homme ayant vécu de nombreuses années dans un climat chaud. C'était vrai pour lui, car il avait passé dix ans de sa vie dans la police à cheval du Matabeleland.

Le jeune homme approcha une chaise de la table.

"J'ai une offre à vous faire", dit-il.

"Y a-t-il de l'argent dedans ?"

L'autre rit.

« Vous ne pensez pas que je devrais vous faire une offre sans argent ? » répondit-il avec mépris.

Crawley, après un moment d'hésitation, se versa un autre verre et l'avala.

"Je n'ai pas bu aujourd'hui", s'excusa-t-il.

"C'est un mensonge évident", dit le jeune homme ; "Mais maintenant, passons aux choses sérieuses. Je ne sais pas quel est votre jeu en Angleterre, mais je vais vous dire quel est le mien. Je veux avoir les mains libres, et je ne peux avoir les mains libres que si vous emmenez votre fille dehors. du pays."

"Tu veux te débarrasser d'elle, hein ?" demanda l'autre en le regardant d'un air perspicace.

Le jeune homme hocha la tête.

« Je vous le dis, elle est une pierre à mon cou, dit-il pour la deuxième fois de la soirée, et j'ai peur d'elle. À tout moment, elle peut faire une bêtise et me ruiner.

Crawley sourit.

"'Pour le meilleur ou pour le pire'", a-t-il cité, puis, voyant l'air laid sur le visage de l'autre homme, il a dit : "N'essayez pas de m'effrayer, M. Brown ou Jones, ou quel que soit votre nom, parce que je ne peux pas avoir peur. J'ai eu affaire à des hommes pires que vous et je suis toujours en vie. Je vais vous dire tout de suite que je ne sors pas d'Angleterre. J'ai un gros match à jouer. . Qu'as-tu pensé à m'offrir ?

"Mille livres", dit l'autre.

"Je pensais que ce serait quelque chose comme ça", a déclaré froidement Crawley. "C'est une piqûre de puce pour moi. Suivez mon conseil et trouvez un autre moyen de la faire taire. Un homme intelligent comme vous, qui en sait plus sur la drogue que n'importe quel autre homme que j'ai rencontré, devrait être capable de faire l'affaire. sans aucune aide de ma part. Pourquoi, ne m'avez-vous pas dit que vous connaissiez une drogue qui sapait la volonté des gens et les faisait faire ce que vous vouliez ? C'est la goutte KO à lui donner. Prenez mon conseil et essayez-le. "

"Vous n'accepterez pas mon offre ?" demanda l'autre.

Crawley secoua la tête.

"J'ai une fortune en main si je travaille bien mes cartes", a-t-il déclaré. "J'ai réussi à obtenir une position juste sous le nez du vieux diable. Je le vois tous les jours et je lui ai fait peur. Qu'est-ce que mille livres pour moi ? J'en ai perdu plus de mille sur une course à Lewes. Non, mon garçon, utilise les ressources de la science", dit-il avec désinvolture. "Cela n'a aucun sens d'être un marchand de drogue si vous ne pouvez pas obtenir la bonne drogue pour le bon cas."

"Moins vous parlez de mon dopage, mieux c'est", gronda l'autre homme. "J'ai été idiot de vous confier autant de choses."

"Ne vous fâchez pas", dit l'autre en levant la main en signe d'inquiétude. " Que Dieu nous bénisse, M. Wright ou Robinson, qui aurait pensé que le gentil jeune homme aux manières douces qui va à l'église à Eastbourne pourrait être un type aussi féroce à Londres ? J'ai souvent ri en vous voyant passer devant moi. comme si le beurre ne fondait pas dans la bouche et que tout le monde disait à quel point M. Untel est un gentil jeune homme, et j'ai pensé que s'ils savaient seulement que ce garçon élégant… "

"Fermez-la!" » dit sauvagement l'autre. "Vous courez autant de danger que cette fille infernale."

— Vous prenez trop les choses à cœur, dit l'autre. "Maintenant, je vais vous dire ce que je vais faire. Je ne quitterai pas l'Angleterre. Je vais garder mon emploi subalterne actuel. Vous voyez, ce n'est pas seulement une question d'argent, mais j'ai l'idée que ton vieux a quelque chose dans son sac pour moi, et la seule façon d'éviter des événements désagréables est de rester près de lui.

"Je vous l'ai dit une douzaine de fois qu'il n'avait rien contre vous", dit l'autre avec insistance. "Je connais son affaire et j'ai vu la plupart de ses papiers privés. S'il avait pu vous attraper avec les marchandises, il vous aurait eu depuis longtemps. Je vous ai dit que la dernière fois que vous êtes venu à la maison, je vous ai vu. " Quoi ! Pensez-vous que John Minute paierait du chantage s'il pouvait s'en sortir ? Vous êtes un imbécile ! "

"Peut-être que je le suis", dit l'autre avec philosophie, "mais je ne suis pas aussi stupide que vous le pensez."

"Vous feriez mieux de la voir", dit soudain son hôte.

Crawley secoua la tête.

"Les sentiments d'un parent", protesta-t-il, "ont un sens de la décence, Reginald ou Horace ou Hector ; j'oublie toujours votre nom londonien. Non," dit-il, "je n'accepterai pas votre suggestion, mais j'ai une proposition à vous faire, et il s'agit d'un certain parent de John Minute, un gentil et jeune homme qui obtiendra un jour le butin du vieil homme.

"Sera-t-il?" dit l'autre entre ses dents.

Ils restèrent assis pendant deux heures à discuter de la proposition, puis Crawley se leva pour partir.

"Je laisse mon dernier pot pour la fin", dit-il agréablement. Il avait fini le contenu du flacon et était dans un état d'esprit très aimable.

"Tu es en danger, mon jeune ami, et moi, ton ange gardien, je l'ai découvert. Tu as un voiturier à l'une de tes nombreuses adresses."

"Un chauffeur", corrigea l'autre; "un Suédois, Jonsen ."

Crawley hocha la tête.

"Je pensais que c'était un Suédois."

"L'as-tu vu?" » demanda rapidement l'autre.

"Il est venu se renseigner à Eastbourne", a déclaré Crawley, "et je l'ai rencontré par hasard. Un de ces types bavards qui ouvrent leur cœur à un uniforme. Je l'ai empêché d'aller à la maison, alors je vous ai épargné un choc – si John Minute avait été là, je veux dire.

L'autre se mordit les lèvres et son visage montra son inquiétude.

"C'est mauvais", dit-il. "Il a été très agité et plutôt impertinent ces derniers temps, et il cherchait un autre travail. Que lui as-tu dit ?"

"Je lui ai dit de venir mercredi prochain", a déclaré Crawley. "J'ai pensé que tu aimerais prendre quelques dispositions en attendant."

Il tendit la main, et le jeune homme, qui ne se trompa pas du geste, plongea dans ses poches avec un air renfrogné et tendit quatre billets de cinq livres dans la paume tendue.

"Il me suffira de payer mon taxi", dit Crawley avec légèreté.

L'autre monta à l'étage. Il trouva la jeune fille assise là où il l'avait laissée dans sa chambre.

" Sortez d'ici, " dit-il brutalement. "Je veux la chambre."

Doucement, elle obéit. Il ferma la porte derrière elle, posa une valise sur le lit et, l'ouvrant, en sortit une petite boîte japonaise. Il en sortit un petit pilon et un mortier en verre, six petits flacons, une seringue hypodermique et une petite lampe à alcool. Puis il sortit de sa poche un étui à cigarettes et en sortit deux cigarettes qu'il posa soigneusement sur la coiffeuse. Il était occupé pendant la majeure partie de l'heure.

Quant à la jeune fille, elle passait ce temps-là dans la salle à manger froide, recroquevillée sur une chaise, pleurant doucement pour elle-même.

CHAPITRE III

QUATRE PERSONNAGES IMPORTANTS

L'écrivain s'arrête ici pour dire que l'histoire de « L'Homme qui savait » est inhabituelle. Il est reconstitué en partie à partir des rapports d'un certain procès, en partie à partir de l'affaire confidentielle qui est parvenue à l'écrivain par Saul Arthur Mann et son bureau extraordinaire, et en partie à partir du journal intime que May Nuttall a mis à la disposition de l'écrivain.

Les lecteurs expérimentés qui commencent ce récit avec la conviction lasse qu'ils doivent simplement voir les rouages d'un récit conventionnel de crime, d'amour et de mystère peuvent être invités à poursuivre leurs investigations jusqu'au bout. La vérité est plus étrange que la fiction, et elle doit l'être, puisque la plupart des fictions sont fondées sur la vérité. Il y a une étrangeté dans l'histoire de « L'Homme qui savait » qui la fait entrer dans la catégorie de l'histoire véridique. On ne peut pas dire en vérité qu'une histoire commence au début du premier chapitre, puisque toutes les histoires ont commencé avec la création du monde, mais on peut dire que cette histoire commence lorsque nous abordons la vie de certains des personnages concernés. , le dix-sept juillet 19—.

Il y avait un petit groupe de personnes autour de la silhouette prostrée d'un homme allongé sur le trottoir de Grey Square, à Bloomsbury.

Il était huit heures par une chaude soirée d'été, et le fait que ce spectacle inhabituel n'ait attiré qu'une petite foule peut s'expliquer par le fait que Grey Square est un quartier professionnel consacré aux bureaux d'avocats, d'arpenteurs et de bureaux de sociétés qui à huit heures un jour d'été, ils sont vides d'occupants. Les classes non professionnelles qui habitent les rues délabrées qui bordent Euston Road n'incluent pas Grey Square dans leur itinéraire lorsqu'elles passent leurs constitutions du soir à l'étranger, et même les enfants bruyants trouvent un environnement moins déprimant pour leurs jeux.

Le jeune au visage gris affalé sur le trottoir était décemment habillé et était visiblement du type serviteur supérieur.

Il était tout aussi manifestement mort.

La mort, qui embellit et adoucit les plus simples, n'avait pas réussi à dissiper entièrement l'impression de mesquinerie du visage de l'homme frappé. Les lèvres étaient légèrement ricaneuses, les yeux mi-clos étaient petits, la mâchoire rasée de près était longue et tombante, les oreilles étaient grandes et grotesquement proéminentes.

Un agent de police se tenait près du corps, attendant l'arrivée de l'ambulance, répondant par monosyllabes aux questions des curieux. Dix minutes avant l'arrivée de l'ambulance, un homme d'âge moyen a rejoint le groupe.

Il portait le costume poivre et sel qui distingue l'excursionniste de campagne prenant une journée de congé à Londres. Il avait de petites moustaches latérales et une épaisse moustache brune. Sa casquette de golf était neuve et placée à un angle quelque peu élancé sur sa tête. En travers de son gilet se trouvait une grande et lourde chaîne accrochée à intervalles réguliers à de petites médailles d'argent. Malgré toute son apparence provinciale, ses mouvements étaient décisifs et suggéraient l'autorité. Il se fraya un chemin à travers la petite foule et rencontra sans faiblir le regard désapprobateur du connétable.

« Puis-je être utile, mon pote ? » dit-il en se présentant comme l'agent de police Wiseman, de la police du Sussex.

L'agent de Londres a dégelé.

"Merci", dit-il; "Tu peux m'aider à le faire monter dans l'ambulance quand elle arrivera."

"Ajuster?" demanda le nouveau venu.

Le policier secoua la tête.

"On l'a vu chanceler et tomber, et au moment où je suis arrivé, il s'était éteint. Une maladie cardiaque, je suppose."

"Ah!" » a déclaré l'agent Wiseman, considérant le corps avec un œil propriétaire et professionnel, et a raconté ses propres expériences de tragédies similaires, non sans fierté, comme s'il avait dans une certaine mesure la responsabilité de leur survenue.

De l'autre côté de la place, un jeune homme et une jeune fille marchaient lentement. C'était un jeune homme grand, blond et beau, qui aurait pu attirer l'attention même dans une foule. Mais il était plus probable que cette attention aurait été concentrée s'il avait été accompagné de la jeune fille à ses côtés, car elle était belle à tous points de vue. Ils atteignirent le coin de la rue Tabor, et ce fut le regard fixe et impatient d'un petit homme qui se tenait au coin de la rue et l'intensité de son regard qui attira d'abord leur attention sur la tragédie qui se déroulait de l'autre côté de la place.

Le petit homme qui regardait était vêtu d'une redingote mal ajustée, d'un pantalon qui semblait trop long puisqu'il tombait en accordéon sur ses bottes, et d'un chapeau de soie brillante fixé sur l'arrière de sa tête.

"Quelle drôle de vieille chose !" dit Frank Merrill dans un souffle, et la jeune fille sourit.

L'objet de leur amusement se tourna brusquement alors qu'ils s'approchaient de lui. Son visage rasé et couvert de taches de rousseur avait l'air étrangement vieux, et les grandes lunettes à monture dorée pontées à mi-hauteur de son nez ajoutaient à son apparence ridicule. Il haussa les sourcils et observa les deux jeunes gens.

"Il y a un accident là-bas", dit-il brièvement et sans préliminaire.

"En effet", dit poliment le jeune homme.

"Il y a eu plusieurs accidents à Grey Square", dit méditativement l'étrange vieillard. "Il y en a eu une en 1875, lorsque la maison d'angle - vous pouvez en voir l'extrémité d'ici - s'est effondrée et a enterré quatorze personnes, dont sept ont été tuées, dont quatre ont été blessées à vie et trois d'entre elles s'en sont sorties avec des blessures légères. ".

Il a dit cela calmement et apparemment sans aucun sentiment d'agir de manière non conventionnelle en divulguant volontairement l'information, et a poursuivi :

"Il y a eu un autre accident en 1881, le 17 octobre, une collision entre deux taxis qui a entraîné la mort d'un chauffeur qui s'appelait Samuel Green. Il vivait au 14 Portington Mews et avait une femme et neuf enfants."

La jeune fille regarda le vieil homme avec un peu d'appréhension et Frank Merrill éclata de rire.

"Vous avez une très bonne mémoire pour ce genre de chose. Vivez-vous ici ?" Il a demandé.

"Oh non!" Le petit homme secoua vigoureusement la tête.

Il resta silencieux un moment, puis :

"Je pense que nous ferions mieux d'aller voir de quoi il s'agit", dit-il avec une certaine gravité.

Son accession au leadership était un peu stupéfiante et Frank se tourna vers la jeune fille.

"Ça te dérange?" Il a demandé.

Elle secoua la tête et tous trois traversèrent la route pour rejoindre le petit groupe au moment où l'ambulance arrivait en tintant sur la place. À la surprise de Merrill, le policier salua respectueusement le petit homme en touchant son casque.

« Je crains que rien ne puisse être fait, monsieur. Il est… parti.

"Oh oui, il est parti !" dit l'autre tout à fait calmement.

Il se baissa, retourna le manteau de l'homme et glissa sa main dans la poche intérieure, mais il resta vide ; la poche était vide. Avec une rapidité de mouvement extraordinaire, il poursuivit ses recherches et, au grand étonnement de Frank Merrill, le policier ne lui refusa pas son droit. Dans la poche supérieure gauche de son gilet , il sortit un slip froissé qui se révéla être une coupure de journal.

"Ah!" dit le petit homme. "Une annonce pour un domestique découpée dans le *Daily Telegraph de ce matin* ; je l'ai vue moi-même. De toute évidence, un domestique qui s'apprêtait à interviewer un nouvel employeur. Vous voyez : 'Appelez à huit heures trente au Holborn Viaduct Hotel.' Il prenait un raccourci lorsque la maladie l'a emporté. Je sais qui fait de la publicité pour le valet de chambre, ajouta-t-il gratuitement ; "C'est un M. T. Burton, qui est un facteur de caoutchouc de Penang. M. T. Burton a épousé la fille du révérend George Smith, de Scarborough, en 1889, et a quatre enfants, dont l'un est à Winchester. Hum!"

Il pinça les lèvres et regarda de nouveau le corps ; puis soudain il se tourna vers Frank Merrill.

"Connaissez-vous cet homme?" il a ordonné.

Frank le regarda avec étonnement.

"Non pourquoi le demandes-tu?"

"Vous le regardiez comme si c'était le cas", dit le petit homme. "C'est-à-dire que vous ne regardiez pas son visage. Les gens qui ne regardent pas le visage des autres dans ces circonstances les connaissent."

"Curieusement", dit Frank avec un petit sourire, "il y a quelqu'un ici que je connais", et il a attiré l'attention du gendarme Wiseman.

Cet ornement de la police du Sussex touchait sa casquette.

"Je pensais vous avoir reconnu, monsieur. Je vous ai souvent vu à Weald Lodge", dit-il.

La conversation fut interrompue lorsqu'ils transportèrent le corps sur une civière et le placèrent à l'intérieur de l'ambulance. Le petit groupe regarda la voiture blanche disparaître et la foule des badauds commença à se dissiper.

L'agent Wiseman a pris congé de son camarade et est revenu vers Frank un peu timidement.

« Vous êtes le neveu de M. Minute, n'est-ce pas, monsieur ? Il a demandé.

"Tout à fait vrai", a déclaré Frank.

"Je te voyais chez ton oncle."

"Le nom de mon oncle ?"

C'était l'enquête indiscrète mais totalement inoffensive du petit homme. Il semblait que cette question allait de soi et qu'il avait droit à une réponse sans équivoque.

Frank Merrill a ri.

"Mon oncle est M. John Minute", dit-il, et il ajouta avec une légère touche de sarcasme : "Vous le connaissez probablement."

"Oh, oui," dit volontiers l'autre. "L'un des premiers pionniers rhodésiens qui reçut une concession de Lo Bengula et amassa une grande fortune grâce à la vente de propriétés minières aurifères qui se révélèrent sans valeur particulière. Il fut jugé à Salisbury en 1897 pour le meurtre de deux chefs Mashona. , et a été acquitté. Il a amassé une autre fortune à Johannesburg lors du boom de 1997 et est arrivé dans ce pays en 1901, s'installant dans un petit domaine entre Polegate et Eastbourne. Il a un neveu, son héritier, Frank Merrill, le fils de le regretté docteur Henry Merrill, qui est comptable à la London and Western Counties Bank.

Frank le regarda avec un étonnement non dissimulé.

"Tu connais mon oncle?"

"Je ne l'ai jamais rencontré de ma vie", dit brusquement le petit homme. Il ôta d'un geste rapide son chapeau de soie.

"Je vous souhaite bon après-midi", dit-il avant de s'éloigner rapidement.

Le policier en uniforme a tourné un visage solennel vers le groupe.

"Connaissez-vous ce monsieur?" demanda Franck.

Le constable sourit.

"Oh, oui, monsieur ; c'est M. Mann. Dans la cour, nous l'appelons 'L'homme qui sait !'"

« Est-ce un détective ?

Le gendarme secoua la tête.

"D'après ce que j'ai compris, monsieur, il fait beaucoup de travail pour le commissaire et pour le gouvernement. Nous avons pour ordre de ne jamais interférer avec lui ni de lui refuser toute information que nous pouvons lui donner."

"L'homme qui sait ?" répéta Frank avec un froncement de sourcils perplexe. "Quelle personne extraordinaire ! Que sait-il ?" » demanda-t-il soudain.

"Tout", dit le constable d'un ton exhaustif.

Quelques minutes plus tard, Frank marchait lentement vers Holborn.

"Vous semblez plutôt déprimé", sourit la jeune fille.

"Confondre cet homme!" dit Frank, brisant son silence. "Je me demande comment il sait tout sur mon oncle ?" Il haussa les épaules. "Eh bien, chérie, ce n'est pas une soirée très joyeuse pour toi. Je ne t'ai pas amené voir des accidents."

"Frank," dit soudain la jeune fille, "il me semble connaître le visage de cet homme, celui qui était sur le trottoir, je veux dire..."

Elle s'arrêta avec un frisson.

"Cela me semblait un peu familier", dit Frank pensivement.

"Ne nous a-t-il pas dépassés il y a environ vingt minutes ?"

"Il l'a peut-être fait", a déclaré Frank, "mais je n'en ai aucun souvenir particulier. L'impression que j'ai de lui remonte bien plus loin que ce soir. Maintenant, où aurais-je pu le voir ?"

"Parlons d'autre chose," dit-elle rapidement. "Je n'ai pas beaucoup de temps. Que dois-je faire de votre oncle ?"

Il rit.

"Je ne sais pas quoi suggérer", a-t-il déclaré. « J'aime beaucoup Oncle John et je déteste aller à l'encontre de ses souhaits, mais je ne vais certainement pas lui permettre de prendre mes amours en main. J'aurais aimé que vous ne l'ayez jamais rencontré !

Elle fit un petit geste de désespoir.

"Ça ne sert à rien de souhaiter des choses comme ça, Frank. Tu vois, j'ai connu ton oncle avant toi. Sans ton oncle , je n'aurais pas dû te rencontrer."

"Dites-moi ce qui s'est passé", a-t-il demandé. Il a regardé sa montre. "Tu ferais mieux de venir à Victoria", dit-il, "sinon je perdrai mon train."

Il héla un taxi et, sur le chemin de la gare, elle lui raconta tout ce qui s'était passé.

"Il était très gentil, comme il l'est toujours, et il n'a rien dit de très horrible à votre sujet. Il a simplement dit qu'il ne voulait pas que je vous épouse parce qu'il ne pensait pas que vous feriez un mari convenable. Il a dit que Jasper avait toutes les qualités et la plupart des vertus. »

Frank fronça les sourcils.

"Jasper est une brute élégante," dit-il méchamment.

Elle posa la main sur son bras.

"S'il vous plaît, soyez patient", dit-elle. « Jasper ne m'a rien dit et n'a jamais été que très poli et gentil. »

"Je connais cette variété de gentillesse", grogna le jeune homme. "C'est l'un de ces sournois et aux pieds doux dont on ne peut jamais aller au fond. Il se faufile dans la confiance de mon oncle à un degré extraordinaire. Eh bien, il ressemble plus à un fils pour oncle John qu'à un secrétaire bestial. ".

"Il s'est rendu nécessaire", dit la jeune fille, "et c'est à moitié chemin pour devenir riche."

Le petit froncement de sourcils disparut du front de Frank et il rit.

"C'est presque une épigramme", dit-il. « Qu'as-tu dit à mon oncle ?

"Je lui ai dit que je ne pensais pas que sa suggestion était possible et que je ne me souciais pas de M. Cole, ni lui de moi. Vous voyez, Frank, je dois tant à votre oncle John. Je suis la fille de l'un des ses meilleurs amis, et depuis la mort de mon cher papa, oncle John a pris soin de moi. Il m'a donné mon éducation, mes revenus, tout, tout ; il a été pour moi un deuxième père.

Frank hocha la tête

"Je reconnais toutes les difficultés", a-t-il déclaré, "et nous voici à Victoria".

Elle se tenait sur le quai et regardait le train partir et faisait un signe de la main en guise d'adieu, puis retournait au joli appartement dans lequel John Minute l'avait installée. Comme elle l'a dit, sa vie avait été très douce pour elle. Elle n'avait pas besoin de se soucier de l'argent et elle pouvait consacrer ses journées au travail qu'elle aimait le plus. La East End Provident Society, dont elle était présidente, était entièrement financée par le millionnaire rhodésien.

May avait une aptitude naturelle pour le travail caritatif. C'était une travailleuse infatigable, et il n'y avait pas de personnage plus connu dans les rues pauvres adjacentes aux West Indian Docks que sœur Nuttall. Frank s'intéressait au travail sans être enthousiaste. Il avait toute l'appréhension d'un homme face aux maladies infectieuses et au caractère inopportun d'une belle fille s'enfermant sans surveillance, mais la seule visite qu'il avait faite dans l'East End en sa compagnie l'avait convaincu qu'il n'y avait aucune crainte quant à sa sécurité personnelle.

Il avait l'habitude de se plaindre qu'elle s'intéressait plus à son travail qu'à lui, ce qui était probablement vrai, car son développement avait été lent et on ne pouvait pas dire qu'elle soit grandement amoureuse de quoi que ce soit au monde. sauver la mission qu'elle s'est imposée.

Elle a mangé son dîner frugal et s'est rendue au quartier général de la mission, près d'Albert Dock Road. Trois nuits par semaine étaient consacrées par la mission au travail de visite. De nombreuses femmes et filles vivant dans cette zone passent leurs journées dans les usines du quartier et n'ont que le soir pour soigner des maladies qui, chez des personnes mieux placées, nécessiteraient l'intervention de spécialistes. Pour le travail de nuit, les infirmières étaient accompagnées par un accompagnateur masculin bénévole. Les fonctions de May Nuttall la conduisirent ce soir-là à Silvertown et dans un réseau de rues méchantes à l'est de la voie ferrée. Son travail commençait au crépuscule et ne se terminait que lorsque la nuit tombait et que les étoiles frémissaient dans un ciel brûlant.

La chaleur était étouffante, et en sortant de la dernière demeure immonde, elle accueillit comme un soulagement même l'air vicié de la nuit chaude. Elle retourna dans le passage de la maison et, à la lueur d'une lampe à pétrole, fit sa dernière note dans le petit journal qu'elle portait.

"Cela fait huit que nous avons vus, Thompson", dit-elle à son escorte. "Y a-t-il quelqu'un d'autre sur la liste ?"

"Personne d'autre ce soir, mademoiselle", dit le jeune homme en cachant un bâillement.

« Je crains que ce ne soit pas très intéressant pour vous, Thompson, » dit la jeune fille avec sympathie ; "Tu n'as même pas l'excitation du travail. Ça doit être terriblement ennuyeux de m'attendre dehors."

"Bonjour, mademoiselle", dit l'homme. "Cela ne me dérange pas du tout. Si c'est assez bien pour vous de venir dans ces rues, c'est assez bien pour moi de faire le tour avec vous."

Ils se trouvaient dans une petite cour, une impasse coupée à une extrémité par un mur à pic, et tandis que la jeune fille remettait son journal dans son petit sac en filet, un homme descendit rapidement de l'entrée de la cour et passa devant lui. son. Ce faisant, la faible lumière de la lampe montra pendant une seconde son visage, et sa bouche forma un « O » d'étonnement. Elle l'observa jusqu'à ce qu'il disparaisse dans l'une des portes sombres à l'extrémité de la cour, et resta à fixer la porte comme si elle ne pouvait en croire ses yeux.

Il n'y avait aucun doute sur le visage pâle et la silhouette droite de Jasper Cole, le secrétaire de John Minute.

CHAPITRE IV

LE COMPTABLE À LA BANQUE

May Nuttall a exprimé sa perplexité dans une lettre :

> CHER FRANK : Une chose si remarquable s'est produite hier soir. J'étais à Silvers Rents vers onze heures, et je venais juste de finir de voir le dernier de mes patients, lorsqu'un homme est passé devant moi et est entré dans l'une des maisons - c'était, pensais-je à ce moment-là, soit la dernière, soit la dernière mais un à gauche. Je sais maintenant que c'était l'avant-dernier. Il n'y a aucun doute dans mon esprit qu'il s'agissait de M. Cole, car non seulement j'ai vu son visage, mais il portait la canne en bois de serpent qu'il affecte toujours.

> Je dois avouer que j'étais assez curieux pour me renseigner, et j'ai découvert qu'il vient fréquemment ici, mais personne ne sait vraiment pourquoi il vient. La dernière maison est occupée par deux familles, des gens très inintéressants, et l'avant-dernière maison est vide à l'exception d'une pièce qui est apparemment celle qu'utilise M. Cole. Aucun des habitants des Rents ne connaît M. Cole ni ne l'a jamais vu. Apparemment, la pièce du rez-de-chaussée de la maison vide est fermée à clé, et une femme qui habite en face a dit à mon informateur, Thompson, dont vous vous souviendrez comme l'homme qui m'accompagne toujours quand je m'encanaille, que ce monsieur vient parfois, utilise cette pièce. , et qu'il le balaie toujours pour lui-même. Elle ne peut pas être très bien meublée et, apparemment, il n'y passe jamais la nuit.

> N'est-ce pas très extraordinaire ? S'il vous plaît, dites-moi ce que vous en pensez...

Frank Merrill posa la lettre et remplit lentement sa pipe. Il était perplexe et ne trouva aucune solution ni à ce moment-là, ni en se rendant au bureau.

Il était comptable de la succursale de Piccadilly de la London and Western Counties Bank et avait très peu de temps à consacrer aux problèmes extérieurs. Mais la pensée de Cole et de sa curieuse apparition dans un bidonville de Londres dans des circonstances pour le moins mystérieuses s'est interposée plus d'une fois entre lui et son œuvre.

Il était en train de saisir quelques transactions lorsqu'il fut convoqué par le gérant. Frank Merrill, s'il n'occupait pas une fonction particulièrement imposante dans la banque, occupait néanmoins une position tout à fait extraordinaire et qui lui assurait plus de considération que celle qu'un fonctionnaire moyen reçoit de la part de ses supérieurs. Son oncle était financièrement intéressé par la banque, et on croyait généralement que Frank avait été envoyé autant pour veiller aux intérêts de son parent que pour se préparer à la gestion de la grande fortune que John Minute laisserait un jour à son héritier.

Le directeur hocha joyeusement la tête lorsque Frank entra et ferma la porte derrière lui.

"Bonjour, M. Merrill", dit le chef. "Je veux vous voir à propos du récit de M. Holland. Vous m'avez dit qu'il était là l'autre jour."

Frank hocha la tête.

"Il est venu à l'heure du déjeuner."

"J'aurais aimé être ici", dit pensivement le manager. "J'aimerais voir ce monsieur."

"Y a-t-il quelque chose qui ne va pas avec son compte ?"

"Oh, non", dit le directeur avec un sourire ; "Il a un très bon solde. En fait, un solde trop important pour un compte flottant. J'aimerais que vous le voyiez et le persuadiez de mettre une partie de cet argent en dépôt. Le siège social n'aime pas les gros soldes flottants qui peuvent être retiré à tout moment et qui nécessite de conserver ici une quantité d'argent liquide plus grande que celle que je souhaite détenir.

« Personnellement, poursuivit-il, je n'aime pas du tout notre façon de faire des affaires. Notre siège social étant à Plymouth, il est nécessaire, selon les règles particulières de la banque, que les soldes flottants soient ainsi couverts, et J'avoue que votre oncle est un pêcheur aussi grand qu'un autre. Regardez ça ?

Il poussa un chèque sur la table.

"Voici un chèque au porteur de soixante mille livres qui vient d'arriver. C'est pour payer le reste du prix d'achat dû à Consolidated Mines. Pourquoi ils ne peuvent pas accepter le chèque barré ordinaire, Dieu sait!"

Frank regarda la signature tentaculaire et sourit.

« Vous voyez, mon oncle a une réputation à entretenir, dit-il avec bonne humeur ; "On ne s'appelle pas 'Ready-Money Minute' pour rien."

Le gérant fit une petite grimace.

"Ce genre de chose est peut-être nécessaire en Afrique du Sud", a-t-il déclaré, "mais ici, au cœur même du monde monétaire, les paiements en espèces sont une forme de folie. Je ne veux pas que vous répétiez cela à votre famille."

"Il est peu probable que je fasse cela", a déclaré Frank, "même si je pense que vous devriez admettre quelque chose pour les expériences particulières de votre oncle au début de sa carrière."

"Oh, je fais toutes les concessions", dit l'autre ; " seulement c'est très gênant, mais ce n'est pas pour discuter des défauts de ton oncle que je t'ai amené ici. "

Il sortit un livret d'un tas devant lui.

"'M. Rex Holland'", a-t-il lu. "Il a ouvert son compte pendant que j'étais en vacances, tu te souviens."

"Je m'en souviens très bien", a déclaré Frank, "et il l'a ouvert par mon intermédiaire."

"Quel genre d'homme est-il ?" » demanda le directeur.

"Je crains de ne pas être doué pour les descriptions", répondit Frank, "mais je devrais le décrire comme un jeune homme typique de la ville, pas très intelligent, avec très peu d'idées en dehors de son propre monde immédiat - qui commence à Hyde Park Corner - "

"Et se termine à l'Hippodrome", interrompit le directeur.

"Peut-être", a déclaré Frank. "Il semblait être un homme très sain et compétent, malgré une certaine ignorance langoureuse en matière financière, et il m'a été très bien recommandé. Que voudriez-vous que je fasse ?"

Le directeur s'est reculé sur sa chaise, a mis ses mains dans les poches de son pantalon et a regardé le plafond pour s'inspirer.

"Supposons que vous alliez le voir cet après-midi et que vous lui demandiez en guise de faveur de mettre une partie de son argent en dépôt. Nous paierons les intérêts habituels et tout ce genre de choses. Vous pouvez expliquer qu'il peut récupérer l'argent chaque fois qu'il le souhaite. le veut en nous donnant un préavis de trente jours. Voulez-vous faire cela pour moi ?"

"Bien sûr", dit Frank chaleureusement. "Je le verrai cet après-midi. Quelle est son adresse ? J'ai oublié."

"Albemarle Chambers, Knightsbridge", répondit le directeur. "Il est peut-être en ville."

"Et quel est son solde ?" demanda Franck.

« Trente-sept mille livres, dit l'autre, et comme il n'achète pas Consolidated Mines , je ne vois pas quel besoin il a de cet argent, d'autant plus qu'on peut toujours lui donner un découvert sur la garantie de son dépôt. " Suggérez-lui de mettre trente mille livres chez nous et d'en laisser sept mille livres flottantes. À propos, votre oncle envoie ici son secrétaire cet après-midi pour s'occuper de la question de son propre compte. "

Frank leva les yeux.

"Cole," dit-il rapidement, "est-ce qu'il vient ici ? Par Jupiter !"

Il se tenait près du bureau du directeur et un air amusé apparut dans ses yeux.

"Je veux demander quelque chose à Cole," dit-il lentement. « À quelle heure l'attendez-vous ?

"Vers quatre heures."

« Après la fermeture de la banque ?

Le directeur hocha la tête.

"Oncle a une façon étrange de faire des affaires", dit Frank après une pause. "Je suppose que cela signifie que je devrai rester ?"

"Ce n'est pas nécessaire", a déclaré M. Brandon. "Vous voyez, M. Cole est l'un de nos directeurs."

Frank retint une exclamation de surprise.

"Ça fait combien de temps ?" Il a demandé.

"Depuis lundi dernier. Je pensais vous l'avoir dit. En tout cas, si votre oncle ne vous l'a pas dit, vous feriez mieux de faire semblant de ne rien savoir", dit Brandon précipitamment.

"Vous pouvez être sûr que je tiendrai mon conseil", dit Frank, un peu amusé par l'inquiétude de l'autre. "Vous avez été très gentil avec moi, M. Brandon, et j'apprécie votre gentillesse."

"M. Cole est bien sûr un candidat de votre oncle", poursuivit Brandon, avec un petit signe de tête en guise de remerciement pour les remerciements de l'autre. "Votre oncle met un point d'honneur à ne jamais siéger aux conseils d'administration s'il peut l'aider, et n'a jamais été représenté que par son avocat depuis qu'il a acquis une si grande participation dans la banque. En fait, je pense que M. Cole va venir." ici autant pour examiner les affaires de la succursale que pour s'occuper des comptes de votre oncle. Cole est un homme d'affaires de tout premier ordre, n'est-ce pas ?

La réponse de Frank fut un sourire sinistre.

"Excellent!" dit-il sèchement. "Il a l'esprit scientifique greffé à une capacité commerciale singulière."

"Tu ne l'aimes pas ?"

"Je n'ai aucune raison particulière de ne pas l'aimer", dit l'autre. "Peut-être suis-je constitutionnellement peu charitable. Ce n'est pas le genre d'homme qui m'intéresse beaucoup. Il possède toutes les vertus, selon mon oncle, passe ses jours et ses nuits à travailler presque servilement pour son employeur. Oh, oui, je sais ce que vous vais dire ; c'est une très belle qualité chez un jeune homme, et honnêtement, je suis d'accord avec vous, seulement cela ne semble pas naturel. Je suppose que personne ne travaille aussi dur que moi ou ne s'intéresse autant à son travail. , pourtant je n'ai aucune inquiétude particulière à l'idée de le poursuivre après les heures de bureau.

Le directeur se leva.

"Vous n'êtes même pas un apprenti oisif", dit-il avec bonne humeur. « Vous verrez M. Rex Holland pour moi ?

"Certainement", dit Frank, et il retourna à son bureau plongé dans ses pensées.

Il était quatre heures précises lorsque Jasper Cole franchit l'unique porte ouverte de la banque devant laquelle le portier se tenait prêt à fermer. Il était bien habillé, mais proprement, et avait accroché à son poignet une fine canne en bois de serpent attachée à un manche en forme de courbure.

Il vit Frank de l'autre côté du comptoir et sourit, montrant deux rangées de dents blanches et égales.

"Bonjour, Jaspe !" » dit Frank facilement en tendant la main. "Comment va mon oncle?"

"Il va vraiment très bien", répondit l'autre. " Bien sûr, il est très inquiet à propos de certaines choses, mais je pense qu'il est toujours inquiet à propos de quelque chose ou d'autre."

« Quelque chose en particulier ? » demanda Frank avec intérêt.

Jasper haussa les épaules.

" Vous le connaissez beaucoup mieux que moi ; vous avez été avec lui plus longtemps. Il devient si horriblement méfiant envers les gens et voit un espion ou un ennemi dans chaque visage étrange. C'est généralement un mauvais signe, mais je pense qu'il a été un un peu surmené ces derniers temps."

Il parlait facilement ; sa voix était basse et modulée avec la moindre suggestion d'une voix traînante, ce qui irritait particulièrement Frank, qui méprisait secrètement le produit d'Oxford, même s'il admettait - comme il était un jeune homme très équilibré et dans l'ensemble de bonne humeur - son aversion était déraisonnable.

"J'ai entendu dire que vous étiez venu vérifier les comptes", dit Frank en s'appuyant sur le comptoir et en ouvrant son étui à cigarettes en or.

"C'est à peine ça," dit Jasper d'une voix traînante.

Il tendit la main et choisit une cigarette.

"Je veux juste régler quelques points. Au fait, ton oncle avait une lettre d'un de tes amis."

"Le mien?"

"Un Rex Holland", dit l'autre.

"Ce n'est pas vraiment un de mes amis ; en fait, c'est plutôt une nuisance infernale", a déclaré Frank. "Je suis allé à Knightsbridge pour le voir aujourd'hui, et il était absent. Qu'a à dire M. Holland ?"

"Oh, il s'intéresse à une sorte d'œuvre caritative, et il commence une collecte de guinées. J'oublie ce qu'était cette œuvre caritative."

"Pourquoi l'appelles-tu mon ami ?" » demanda Frank en regardant l'autre attentivement.

Jasper Cole était à mi-chemin du bureau du directeur et se tourna.

"Une petite blague", dit-il. "Je vous avais entendu parler de ce monsieur. Je n'ai aucune autre raison de supposer qu'il était un de vos amis."

"Oh, au fait, Cole," dit soudain Frank, "étais-tu en ville hier soir ?"

Jasper Cole lui lança un rapide regard.

"Pourquoi?"

« Étiez-vous près des Victoria Docks ?

"Quelle question à poser !" » dit l'autre avec son sourire impénétrable, et, se tournant brusquement, il se dirigea vers M. Brandon qui l'attendait.

Frank termina son travail à cinq heures trente ce soir-là et laissa à Jasper Cole et à un jeune employé la tâche agréable de vérifier les titres. A neuf heures, l'employé rentra chez lui, laissant Jasper seul à la banque. M. Brandon, le gérant, était célibataire et occupait un appartement au-dessus des locaux de la banque. De temps en temps , il entrait à grands pas, sa grosse pipe au coin de la bouche. La dernière de ces occasions a eu lieu lorsque Jasper Cole a remplacé le dernier registre du coffre-fort privé de M. Minute.

" Onze heures et demie, " dit le directeur avec désapprobation, " et vous n'avez pas dîné. "

"Je peux me permettre de rater un dîner", rit l'autre.

"Homme chanceux", a déclaré le manager.

Jasper Cole s'est évanoui dans la rue et a appelé un taxi qui passait jusqu'au trottoir.

« Gare de Charing Cross », dit-il.

Il congédia le taxi dans la cour de la gare et, au bout d'un moment, retourna au Strand et en héla un autre.

"Victoria Dock Road", dit-il à voix basse.

CHAPITRE V

L'HÉRITAGE DE JOHN MINUTE

La Rochefoucauld a dit que prudence et amour sont incompatibles. May Nuttall, qui n'avait jamais exploré les philosophies de La Rochefoucauld, avait néanmoins vu cette citation dans le livre d'anniversaire d'une connaissance, et le dicton lui avait fait une grande impression. Elle avait vingt et un ans, âge auquel les filles sont les plus impressionnables et peu influencées par les rouages de la raison pure. Ils sont prêts à prendre leurs philosophies toutes faites et ne sont pas réticents à accepter des autres certaines normes rigides par lesquelles ils mesurent leur propre tempérament élastique.

Frank Merrill était à la fois un réconfort et la cause d'un certain ressentiment à moitié honteux, puisqu'elle était de l'âge qui déteste la dépendance. La femme qui passe un temps appréciable à discuter avec elle-même pour savoir si elle aime ou non un homme ne peut que voir ses doutes dissipés par la découverte de quelqu'un qu'elle aime mieux. Elle aimait Frank, et l'aimait suffisamment pour accepter la petite bague qui marquait le début d'une nouvelle relation qui n'était pas exactement des fiançailles, mais qui apportait pourtant à son amitié un glamour qu'elle n'avait jamais possédé auparavant.

Elle l'aimait suffisamment pour vouloir son amour. Elle l'aimait assez peu pour trouver alarmante la perspective d'un mariage précoce. Qu'elle ne se comprenne pas n'était pas remarquable. Vingt et un n'ont pas l'expérience qui permettrait de clarifier et de rendre visibles les complexités de vingt et un ans.

Elle s'assit au petit-déjeuner, réfléchissant à la question, et fut un peu perturbée et même affligée de constater, contrairement aux hommes, que des deux elle avait un sentiment plus chaleureux et plus profond pour Jasper Cole. Son inquiétude était due au souvenir d'un des avertissements de Frank, presque prophétique, lui semblait-il maintenant :

"Cet homme a une fascination que je serais le dernier à nier. Je me surprends à l'aimer, même si mon instinct me dit qu'il est le pire ennemi que j'ai au monde."

Si son attitude envers Frank était difficile à définir, son attitude envers Jasper Cole était plus remarquable. Il y avait quelque chose de sinistre – non, ce n'était pas le mot – quelque chose d'« effrayant » chez lui. Il possédait un magnétisme, une aura de pouvoir personnel, qui semblait paralyser la volonté de quiconque entrait en conflit avec lui.

Elle se souvenait combien de fois elle s'était rendue à la grande bibliothèque de Weald Lodge avec la ferme intention de « s'en sortir avec Jasper ». Parfois, c'était une question d'économie domestique dans laquelle il s'était imposé – lorsqu'elle avait seize ans, elle était pratiquement la femme de ménage de son oncle adoptif – peut-être était-ce une question de disposition des voitures. Autrefois, cela avait été bien plus grave, car après qu'elle s'était préparée à aller avec un joyeux pique-nique dans les collines, Jasper, en l'absence de son oncle et sous son autorité, lui avait fermement mais gentiment interdit sa présence. Était-ce un hasard si Frank Merrill faisait partie de la fête et s'il venait de Londres pour s'amuser un après-midi ?

Dans ce cas, comme dans tous les autres, Jasper avait réussi. Il l'a même convaincue que son point de vue était juste et que le sien était faux. Il avait à cette occasion dénigré toute suggestion selon laquelle c'était la présence de Frank Merrill qui l'avait poussé à exercer le veto que lui donnait sa position extraordinaire. Selon sa version, c'était l'inclusion dans la fête de deux dames dont les noms étaient célèbres dans le monde théâtral qui avait soulevé sa gorge délicate.

May pensa à cet incident particulier alors qu'elle était assise au petit-déjeuner, et avec un sentiment d'exaspération, elle réalisa que chaque fois que Jasper avait posé le pied, il n'avait jamais manqué d'une raison plausible pour s'opposer à elle.

Mais pour une chose, elle lui accordait du crédit. Jamais il n'avait parlé de Frank de manière dépréciante.

Elle se demandait quelle affaire avait amené Jasper dans un quartier aussi peu recommandable que celui dans lequel elle l'avait vu. Elle avait toute la curiosité d'une femme sans les soupçons d'une femme, et, curieusement, elle n'associait pas sa présence dans ce terrible quartier ni ses mystérieuses allées et venues avec quoi que ce soit de déshonorant pour lui. Elle pensait que c'était un peu excentrique de sa part et se demandait si lui aussi dirigeait sa propre « petite mission », mais elle rejeta cette idée car elle n'avait reçu aucune confirmation de la théorie de la part des personnes avec lesquelles elle était entrée en contact. dans ce quartier.

Elle était à la moitié de son petit-déjeuner lorsque la cloche du téléphone sonna, elle se leva de table et se dirigea vers le mur. Au premier mot de l'appelant, elle le reconnut.

"Pourquoi, mon oncle !" dit-elle. "Qu'est-ce que tu fais en ville ?"

La voix de John Minute hurlait dans le combiné :

" J'ai un rendez-vous important. Veux-tu déjeuner avec moi à treize heures trente au Savoy ? "

Il attendit à peine qu'elle accepte l'invitation pour raccrocher son combiné.

Le commissaire de police replaça le livre qu'il avait pris sur l'étagère à côté de son bureau, se retourna sur sa chaise et sourit d'un air narquois au visiteur perturbé et irascible.

L'homme assis de l'autre côté du bureau devait avoir cinquante-cinq ans. Il était de taille moyenne et portait un costume à carreaux quelque peu violent, dont la coupe annonçait l'habileté du grand tailleur qui avait habilement façonné une si belle création à partir d'un modèle si peu charmant.

Il portait un col bas qui aurait montré un cou massif sans une cravate violette éclatante et un diamant gros comme une noisette qui détournaient l'attention de l'observateur. Le visage était inhabituel. Fort jusqu'à la grossièreté, le nez bulbeux, les lèvres épaisses et irrégulières, le menton massif témoignaient de la dure vie qu'avait menée John Minute. Ses yeux étaient bleus et froids, ses cheveux étaient une tignasse grise épaisse et indisciplinée. De loin, il donnait une curieuse illusion de raffinement. Plus près, sa figure rose rebutait par sa crudité. Il a rappelé au commissaire un tableau de scène qui plaisait à la galerie et qui décevait dans les boîtes.

« Vous voyez, M. Minute, » dit Sir George suavement, « nous sommes plutôt limités dans nos opportunités et dans nos pouvoirs. Personnellement, je serais très heureux de vous aider, non seulement parce que c'est mon affaire d'aider tout le monde, mais parce que vous avez été si gentil avec mon garçon en Afrique du Sud ; les lettres d'introduction que vous lui avez remises ont été très utiles.

Le fils du commissaire était parti en voyage de chasse à travers la Rhodésie et le Barotseland, et une rencontre fortuite lors d'un dîner avec le millionnaire rhodésien avait donné naissance à ces lettres.

"Mais", poursuivit le fonctionnaire avec un petit geste de désespoir, "Scotland Yard a ses limites. Nous ne pouvons pas enquêter sur la cause de peurs intangibles. Si vous êtes menacé , nous pouvons vous aider, mais le simple fait que vous ayez l'impression qu'il y a une raison une sorte de danger vague ne justifierait pas que nous prenions des mesures. »

John Minute s'est accroché sur sa chaise.

"A quoi sert la police ?" » demanda-t-il avec impatience. " J'ai des ennemis, Sir George. J'ai pris un petit endroit tranquille à la campagne, juste à l'extérieur d'Eastbourne, pour m'éloigner de Londres, et toutes sortes de nouvelles personnes nous entourent. Un nouveau pasteur a été appelé l'autre jour pour une abonnement à un mouvement de scouts ou autre. Il traîne chez moi depuis un mois et vit dans un cottage près de Polegate. Pourquoi serait-il venu à Eastbourne ?

"En voyage de vacances ?" » a suggéré le commissaire.

"Bah!" dit John Minute avec mépris. " Il y a une autre raison. Je l'ai fait surveiller. Il va tous les jours rendre visite à une femme dans un hôtel, une complice. On ne les voit jamais ensemble en public. Et puis il y a un colporteur, un de ces gars qui vendent du verre et du verre. réparez les fenêtres ; personne ne sait rien de lui. Il ne fait pas assez d'affaires pour garder une mouche en vie. Il traîne toujours autour de Weald Lodge. Puis il y a une Miss Paines , qui dit qu'elle est paysagiste et veut aménager le terrain en d'une manière inédite. Je l'ai envoyée faire ses valises, mais elle n'a pas quitté le quartier.

« Avez-vous signalé l'affaire à la police locale ? demanda le commissaire.

Minute hocha la tête.

"Et ils ne savent rien de suspect à leur sujet ?"

"Rien!" dit brièvement M. Minute.

"Alors," dit l'autre en souriant, "il n'y a probablement rien connu contre eux, et ce sont des gens tout à fait innocents qui tentent de gagner leur vie. Après tout, M. Minute, un homme aussi riche que vous doit s'attendre à attirer un certain nombre de personnes, chacune essayant de sécuriser une partie de votre richesse d'une manière plus ou moins légitime. Je soupçonne que rien de plus remarquable que cela ne s'est produit.

Il s'appuya contre le dossier de sa chaise, les mains jointes, un soudain froncement de sourcils sur le visage.

"Je déteste suggérer que quiconque en sait plus que nous, mais comme vous êtes si inquiet , je vais vous mettre en contact avec un homme qui soulagera probablement votre anxiété."

Minute leva les yeux.

" Un agent de police?" Il a demandé.

Sir George secoua la tête.

"Non, c'est un détective privé. Il peut faire pour vous des choses que nous ne pouvons pas faire. Avez-vous déjà entendu parler de Saul Arthur Mann ? Je vois que non. Saul Arthur Mann," dit le commissaire, "a été un bon ami.

l'un des nôtres, et peut-être qu'en vous le recommandant, je pourrais être un bon ami pour vous deux. Il est « l'homme qui sait ».

"'L'homme qui sait'", répéta M. Minute d'un ton dubitatif. « Que sait-il ?

"Je vais vous montrer", dit le commissaire. Il alla au téléphone, donna un numéro et, en attendant que l'appel soit passé, il demanda : « Comment s'appelle votre curé scout ?

"Le révérend Vincent Lock", répondit M. Minute.

« Je suppose que vous ne connaissez pas le nom de votre marchand de verre ?

Minute secoua la tête.

"Ils l'appellent 'Waxy' dans le village", a-t-il déclaré.

"Et la dame s'appelle Miss Paines , je pense ?" demanda le commissaire en notant les noms à mesure qu'il les répétait. "Eh bien, nous allons... Bonjour ! Est-ce Saul Arthur Mann ? Ici Sir George Fuller. Mettez-moi en contact avec M. Mann, voulez-vous ?"

Il attendit une seconde, puis continua :

"Est-ce vous, M. Mann ? Je veux vous demander quelque chose. Voulez-vous noter ces trois noms ? Le révérend Vincent Lock, un vitrier colporteur connu sous le nom de « Waxy », et une Miss Paines . Les avez-vous ? Je j'aimerais que tu me fasses savoir quelque chose à leur sujet."

M. Minute se leva.

"Peut-être me ferez-vous savoir, Sir George…" commença-t-il en tendant la main.

"Ne pars pas encore", répondit le commissaire en lui faisant signe de nouveau de s'asseoir. "Vous obtiendrez toutes les informations souhaitées en quelques minutes."

"Mais il doit sûrement se renseigner", dit l'autre surpris.

Sir George secoua la tête.

« Ce qui est curieux à propos de Saul Arthur Mann, c'est qu'il n'a jamais besoin de se renseigner. C'est pourquoi on l'appelle « l'homme qui sait ». C'est l'une des personnes les plus remarquables dans le monde de l'enquête criminelle", a-t-il poursuivi. "Nous avons essayé de l'inciter à venir à Scotland Yard. Je ne suis pas sûr que le gouvernement lui aurait payé son prix. En tout cas, il m'a évité tout embarras en refusant catégoriquement."

La cloche du téléphone sonna à ce moment et Sir George décrocha le combiné. Il prit un crayon et écrivit rapidement sur son bloc-notes, et quand il eut fini , il dit : « Merci » et raccrocha.

"Voici vos informations, M. Minute", dit-il. "Le Révérend Vincent Lock, curé d'un quartier très pauvre près de Manchester, s'intéresse au mouvement des boy-scouts. Son frère, George Henry Locke, a eu des problèmes domestiques, sa femme le fuyant. Elle réside désormais au Grand Hôtel, Eastbourne, et reçoit la visite tous les jours de son beau-frère, qui s'efforce de l'inciter à retourner chez elle. Cela dispose du révérend gentleman et de son complice. Miss Paines est une véritable jardinière paysagiste, a été la "La plaignante dans deux affaires de rupture de promesse, dont l'une a été portée devant le tribunal. Il ne fait aucun doute", a poursuivi le commissaire en lisant le journal, "que son *modus operandi* est d'amener des messieurs âgés à proposer le mariage, puis à commencer son mariage. action. Cela dispose de Miss Paines , et vous savez maintenant pourquoi elle vous inquiète. Notre ami « Waxy » a un autre nom – Thomas Cobbler – et il a été trois fois reconnu coupable de vol.

Le commissaire leva les yeux avec un petit sourire sinistre.

"J'aurai quelque chose à dire à notre propre service d'enregistrement pour ne pas avoir réussi à retrouver "Waxy"", a-t-il déclaré avant de reprendre sa lecture.

"Et c'est tout ! Il dispose de nos trois", a-t-il déclaré. "Je vais voir que 'Waxy' ne t'ennuie plus ."

"Mais comment diable…" commença M. Minute. "Comment diable cet homme peut-il le découvrir en si peu de temps ?"

Le commissaire haussa les épaules.

"Il le sait", a-t-il déclaré.

Il prit congé de son visiteur à la porte.

"Si cela vous dérange encore ", dit-il, "je vous conseille fortement d'aller voir Saul Arthur Mann. Je ne sais pas quel est votre véritable problème, et vous ne m'avez pas dit exactement pourquoi vous devriez craindre une attaque. de quelque sorte que ce soit. Vous n'aurez pas à le dire à M. Mann, " dit-il avec un petit scintillement dans les yeux.

"Pourquoi pas?" » demanda l'autre avec méfiance.

"Parce qu'il le saura", a déclaré le commissaire.

« Diable, il le fera ! grogna John Minute, et il descendit d'un pas lourd les larges escaliers menant au quai, un homme très intrigué. Il serait parti de temps en temps chercher une entrevue avec cet étrange individu, car sa curiosité était piquée et il avait aussi une petite appréhension, qu'il désirait, dans son impatience, apaiser, mais il se souvenait qu'il avait a demandé à May de déjeuner avec lui, et il était déjà en retard de cinq minutes.

Il trouva la jeune fille dans le large vestibule, qui l'attendait, et la salua affectueusement.

Quoi qu'on puisse dire de John Minute qui ne soit pas entièrement à son honneur, on ne peut pas dire qu'il ait manqué de sincérité.

Il y a des gens en Rhodésie qui parlent de lui sans amour. Ils le décrivent comme le plus grand voleur de terres ayant jamais pris un autocar de Zeedersburg de Port Charter à Salisbury pour enregistrer les terres qu'il avait obtenues par ruse. Ils racontent des histoires de ses merveilleux voyages en autocar avec des relais de douze mules attendant tous les dix milles. Ils parlent de ses penchants pour le jeu, de fermes de dix mille acres qui ont changé de mains au tour d'une carte, et il y a des histoires moins imprimables. Lorsque M'Lupi , un petit chef Mashona, trouva de l'or en 1992 et refusa de localiser le récif, ce fut John Minute qui le surveilla et alluma un feu d'herbe sur sa poitrine jusqu'à ce qu'il parle.

Beaucoup d'histoires sont probablement exagérées, mais toute la Rhodésie s'accorde à dire que John Minute a volé impartialement amis et ennemis. Le confident de Lo'Ben et de la Compagnie, il les a trahis tous les deux, et ce jour terrible où il était à pile ou face de savoir si les demandeurs de concession seraient massacrés dans le kraal de Lo'Ben , John Minute s'est échappé avec le seul laps de temps disponible. mules et abandonna ses camarades à leur sort.

Pourtant, il avait de grands traits généreux et pouvait parfois être un ami tendre et gentil. Il s'était marié quand il était jeune et avait emmené sa femme dans la nature.

On racontait qu'elle avait rencontré un beau jeune commerçant et s'était enfuie avec lui, que John Minute les avait pourchassés sur plus de trois cents milles de pays hostile, de Victoria Falls à Charter, de Charter à Marandalas , de Marandalas à Massikassi , et qu'elle était arrivée. à Biera, si près de leur trace qu'il avait vu le navire qui les conduisait au Cap descendre la rivière.

Il ne s'était jamais remarié. Le rapport indiquait que la femme était décédée du paludisme. Une version plus populaire de l'histoire était que John Minute avait suivi sans relâche sa femme errante jusqu'à Pieter Maritzburg et l'avait abattue et avait ensuite purgé sept ans sur le brise-lames pour son péché.

À propos d'un homme riche, puissant et totalement impopulaire, détesté par la majorité et craint de tous, les légendes grandissent aussi vite que les champignons vénéneux sur une lande marécageuse. Certaines étaient à moitié vraies, d'autres totalement apocryphes, délibérées et malveillantes. Vrai ou faux, John Minute les a tous ignorés, ne niant rien, n'expliquant rien, et refusant même de prendre des mesures contre un hebdomadaire du Cap qui traitait de sa carrière avec une franchise impardonnable.

Il n'y avait qu'une seule personne au monde qu'il aimait plus que la jeune fille dont il tenait la main alors qu'ils descendaient vers le restaurant le plus joyeux de Londres.

"J'ai eu un entretien bizarre", dit-il de son ton brusque et rapide, "je suis allé voir la police."

"Oh, mon oncle !" dit-elle avec reproche.

Il secoua l'épaule avec impatience.

"Ma chérie, tu ne sais pas", dit-il. "J'ai toutes sortes de gens qui—"

Il s'arrêta net.

"Qu'y avait-il de remarquable dans l'entretien ?", a-t-elle demandé après qu'il eut commandé le déjeuner.

« Avez-vous déjà entendu parler de Saul Arthur Mann ? » demanda-t-il.

"Saul Arthur Mann ?" répéta-t-elle, "Il me semble que je connais ce nom. Mann, Mann ! Où l'ai-je entendu ?"

"Eh bien," dit-il avec ce petit sourire féroce et fugace qui éclairait rarement son visage une seconde, "si vous ne le connaissez pas, il vous connaît ; il connaît tout le monde."

"Oh, je me souviens ! Il est 'L'Homme qui sait !'"

Ce fut à son tour de s'étonner.

"Où dans le monde as-tu entendu parler de lui ?"

Elle raconta brièvement son expérience, et lorsqu'elle en vint à décrire l'omniscient M. Mann : « Un excentrique », grogna M. Minute. "J'espérais qu'il y avait quelque chose dedans."

"Sûrement, mon oncle, il doit y avoir quelque chose dedans", dit sérieusement la jeune fille. "Un homme du rang du commissaire en chef ne parlerait pas de lui comme Sir George l'a fait à moins d'avoir d'excellentes raisons."

"Parlez-moi un peu plus de ce que vous avez vu", dit-il. "Il me semble me souvenir du rapport de l'enquête. Le mort était inconnu et n'a pas été identifié."

Elle a décrit, aussi bien qu'elle s'en souvenait, sa rencontre avec le bien informé M. Mann. Elle devait faire preuve de tact car elle souhaitait raconter l'histoire sans trahir le fait qu'elle avait été avec Frank. Mais elle aurait pu s'épargner cette peine, car alors qu'elle était à mi-chemin du récit , il l'interrompit.

"Je suppose que tu n'étais pas seul," grommela-t-il. "Maître Frank était quelque part à portée de main, je suppose ?"

Elle a ri.

"Je l'ai rencontré un peu par hasard", dit-elle modestement.

"Naturellement", a déclaré John Minute.

"Oh, mon oncle, et il y avait un homme que Frank connaissait ! Vous le connaissez probablement : l'agent Wiseman."

John Minute déplia sa serviette, remua sa soupe et grogna.

"Wiseman est un imbécile", dit-il brièvement. "Le simple fait qu'il ait été mêlé à cette affaire est une explication suffisante pour laquelle le mort reste inconnu. Je connais très bien l'agent Wiseman", a-t-il déclaré. "Il m'a convoqué deux fois - une fois pour avoir fait un petit tir au pistolet dans le jardin juste pour donner une leçon de choses à tous les vagabonds, et une fois - confondez- le ! - pour une cheminée fumante. Oh, oui, je connais l'agent Wiseman. "

Apparemment, la pensée du gendarme Wiseman lui a traversé l'esprit à deux reprises, car il n'a pas parlé jusqu'à ce qu'il ait assemblé son couteau à poisson et sa fourchette et murmuré quelque chose à propos d'un « crétin idiot et intrusif !

Il resta très silencieux tout au long du repas, son esprit étant partagé entre deux sujets. La personnalité de Saul Arthur Mann était au premier plan, quoique de moindre importance. Il le considérait mentalement avec suspicion et appréhension. C'était même irritant de suggérer qu'il pourrait y avoir des endroits secrets dans sa propre vie qui pourraient être inondés de la lumière du savoir de cet homme, et il résolut de faire barbe "L'Homme qui sait" dans sa tanière cet après-midi et de le défier par déduction. produire toutes les informations dont il disposait sur son passé.

Beaucoup de choses étaient du domaine public. John Minute se vantait que sa vie était un livre qui pouvait être lu, mais au plus profond de son cœur, il connaissait un endroit sombre qui déconcertait le monde extérieur. Il passa de la répétition mentale de son entretien à ce qui était, après tout, la première et la plus importante affaire.

"May," dit-il soudainement, "as-tu encore réfléchi à ce que je t'ai demandé ?"

Elle n'a pas tenté de répondre à la question.

"Tu veux dire Jasper Cole ?"

Il hocha la tête, et pour le moment elle ne répondit rien, et resta assise, les yeux baissés, traçant du bout du doigt une petite silhouette sur la nappe.

"La vérité est, mon oncle," dit-elle enfin, "je n'ai pas encore du tout envie de mariage, et vous connaissez suffisamment la nature humaine pour savoir que tout ce qui sent la coercition ne me rendra pas prédisposé envers M. Cole. ".

"Je suppose que la vraie vérité est," dit-il d'un ton bourru, "que tu es amoureux de Frank ?"

Elle a ri.

"C'est exactement ce que la vraie vérité n'est pas", a-t-elle déclaré. "J'aime beaucoup Frank. C'est un garçon cher, brillant et ensoleillé."

M. Minute grogna.

"Oh, oui, il l'est !" continua la fille. "Mais je ne suis pas vraiment amoureuse de lui."

"Je suppose que vous n'êtes pas influencé par le fait qu'il est mon… héritier", dit-il en la regardant attentivement.

Elle croisa son regard avec régularité.

"Si vous n'étiez pas l'homme le plus gentil que je connaisse", sourit-elle, "je serais très offensée. Bien sûr, peu m'importe que Frank soit riche ou pauvre. Vous m'avez trop bien pourvu pour que des considérations mercenaires puissent peser sur moi. tout avec moi."

John Minute grogna encore.

"Je suis très sérieux à propos de Jasper."

"Pourquoi es-tu si attaché à Jasper ?" elle a demandé.

Il hésita.

"Je le connais", dit-il brièvement. "Il m'a prouvé de cent manières qu'il était un garçon fiable et honnête. Il est devenu presque indispensable pour moi", continua-t-il avec son petit rire rapide, "et que Frank ne l'a jamais été. Oh, oui, Frank est tout " C'est vrai, à sa manière, mais il est fou de choses qui ne me dérangent pas. Trop friand de sport, trop friand de flânerie", grogna-t-il.

La jeune fille rit encore.

"Je peux vous donner quelques renseignements sur un point," continua John Minute, "et c'est pour vous dire cela que je vous ai amené ici aujourd'hui. Je suis un homme très riche. Vous le savez. J'ai gagné des millions. et je les ai perdus, mais j'en ai encore de quoi satisfaire mes héritiers. Je vous laisse deux cent mille livres dans mon testament.

Elle le regarda avec une exclamation surprise.

"Oncle!" dit-elle.

Il acquiesca.

« Ce n'est pas un quart de ma fortune, reprit-il rapidement, mais cela vous mettra à l'aise après mon départ.

Il posa ses coudes sur la table et la regarda avec attention.

"Vous êtes une héritière", dit-il, "car, quoi que vous fassiez, je ne devrais jamais changer d'avis. Oh, je sais que vous ne ferez rien que je devrais désapprouver, mais il y a un fait. Si vous épousez Frank, vous le ferez . tu auras quand même tes deux cent mille dollars, même si je regretterais amèrement ton mariage. Non, ma fille, dit-il plus gentiment que d'habitude, je te demande seulement ceci : quoi que tu fasses d'autre, tu ne feras pas ton choix avant la prochaine quinzaine est expirée.

D'un mouvement de tête, John Minute convoqua un serveur et paya sa facture.

On n'en dit pas plus jusqu'à ce qu'il la dépose dans son taxi dans la cour.

"Je serai en ville la semaine prochaine", a-t-il déclaré.

Il regarda le fiacre disparaître dans le flot de la circulation qui coulait le long du Strand, et, appelant un autre taxi, il se rendit à l'adresse que le commissaire en chef lui avait fournie.

CHAPITRE VI

L'HOMME QUI SAVAIT

Backwell Street, dans la ville de Londres, contient un bâtiment somptueux qui était autrefois le siège de la Bourse sud-américaine, un magasin de seau de qualité supérieure qui, lors de sa faillite, avait fait ses cinquante mille victimes. Les lettres dorées ornées de sa grande vitre avaient depuis longtemps disparu, et la grande plaque de laiton qui annonçait au passant que l'araignée était assise ici, tissant sa toile d'or pour la multitude de mouches, avait été remplacée par une modeste plaque oxydée. parchemin portant la légende simple :

SAUL ARTHUR MANN

Peu de gens savaient quelles étaient les affaires de M. Mann. Il entretenait une armée de commis. Il possédait la plus grande collection de classeurs que possédaient trois maisons de commerce de la ville, il avait un énorme sac postal et lui et ses commis respectaient les heures d'ouverture réglementaires. Ses débuts étaient pourtant bien connus.

Il avait été commis de courtier, passionné par la collecte de coupures de presse traitant principalement des conditions politiques, géographiques et météorologiques régnant dans les régions où les grandes sociétés par actions du monde étaient engagées dans leurs opérations. Il avait progressivement constitué un service de correspondance dans le monde entier.

La première nouvelle de problèmes de travail dans un champ aurifère lui est parvenue et ses courtiers lui ont fait part de son point de vue sur la situation dans cette région particulière en « prenant en charge » les actions de la société touchée.

Si ses agents de Liverpool se sont soudainement rendus au Cotton Exchange et ont commencé à acheter du coton de mai en quantités énormes, les initiés savaient que Saul Arthur Mann avait été réveillé de son sommeil par un télégramme décrivant les ravages causés par la tempête dans la ceinture cotonnière des États-Unis d'Amérique. Lorsqu'un curieux fléau s'abattit sur les plantations de café de Ceylan, un télégramme de six cents mots décrivant les habitudes et les caractéristiques du minuscule insecte qui a causé le fléau parvint à Saul Arthur Mann à deux heures de l'après-midi et à trois heures. horloge, le prix du café avait bondi.

Quand, à une autre occasion, Señor Almarez , le président de Cacura , avait jeté un verre de vin au visage de son beau-frère, le capitaine Vassalaro , Saul Arthur Mann s'était précipité sur le marché et avait fait tomber tous les stocks de Cacura , qui étaient assez élevés en raison de d'excellentes récoltes et un gouvernement sûr. Il les " supporta " parce qu'il savait que Vassalaro était un tireur d'élite, et que le duel inévitable priverait Cacura du meilleur président qu'elle ait eu depuis vingt ans, et que la voie serait ouverte pour l'élection de Sebastián Romelez , qui avait derrière lui, un certain groupe de financiers allemands désireux d'exploiter le pays à leur manière.

Il s'est probablement constitué une fortune très considérable, et il est certain qu'il a étendu le champ de ses recherches jusqu'à ce que gagner de l'argent grâce à son curieux bureau de renseignements ne soit plus qu'une considération secondaire. Il avait une mémoire merveilleuse, complétée par son système d'archivage. Il se mettait au travail patiemment pendant des mois et dépensait des sommes d'argent sans commune mesure avec la valeur de l'information, pour découvrir, par exemple, la raison pour laquelle un officier de district dans quelque endroit éloigné de l'Inde avait été obligé de revenir. en Angleterre avant la fin de son service.

Sa soif de faits était insatiable ; sa compréhension de la politique de chaque pays du monde et ses informations extraordinairement précises sur la personnalité de tous ceux qui dirigeaient cette politique étaient la base sur laquelle il était capable d'élaborer des théories d'une précision étonnante.

Un homme aux goûts simples, qui vivait dans une vieille maison décousue à Streatham , son travail, son passe-temps et sa vie même étaient son bureau. Il avait aidé la police à maintes reprises et avait été si fasciné par le succès de cette branche de ses enquêtes qu'il avait ouvert un nouveau casier judiciaire, ce qui avait été d'une grande aide pour la police et avait piqué Scotland Yard à l'émulation.

John Minute, descendant de sa cabine à la porte, leva les yeux vers l'imposante façade en fronçant les sourcils. En entrant dans le large vestibule, il remit sa carte au préposé et s'assit dans une salle d'attente bien meublée. Cinq minutes plus tard, il fut introduit en présence de « L'Homme qui savait ». M. Mann, un petit personnage comique assis devant une très grande table d'écriture, se leva d'un bond et traversa la moitié de la grande salle pour rencontrer son visiteur. Il rayonnait à travers ses grandes lunettes alors qu'il faisait signe à John Minute de s'asseoir dans un fauteuil profond.

« Le commissaire en chef vous a envoyé, n'est-ce pas ? » dit-il en pointant un doigt accusateur vers le visiteur. "Je le sais, car il m'a appelé ce matin et m'a posé des questions sur trois personnes qui, je le sais, vous dérangent. Maintenant, que puis-je faire pour vous, M. Minute ?"

John Minute étira ses jambes et enfonça ses mains d'un air de défi dans les poches de son pantalon.

"Vous pouvez me dire tout ce que vous savez sur moi", dit-il.

Saul Arthur Mann retourna au trot jusqu'à sa grande table et s'assit.

"Je n'ai pas le temps de vous en dire autant", dit-il avec désinvolture, "mais je vais vous en donner quelques aperçus."

Il appuya sur une clochette sur son bureau, ouvrit un grand index et passa son doigt vers le bas.

"Apportez-moi le 8874", dit-il d'une manière impressionnante à l'employé qui faisait son apparition.

À la grande surprise de John Minute, ce n'était pas un dossier volumineux que le préposé revint avec, mais un petit livre soigné, sobrement relié en gris.

"Maintenant", dit M. Mann en se tortillant confortablement dans son fauteuil, "je vais vous lire quelques choses."

Il a brandi le livre.

"Il n'y a pas de noms dans ce livre, mon ami ; pas un seul nom béni. Personne ne sait qui est 8874 à part moi."

Il tapota affectueusement le gros index.

"Le nom est là. Quand je quitterai ce bureau, il sera derrière trois profondeurs d'acier ; quand je mourrai, il sera brûlé avec moi."

Il rouvrit le petit livre et lut. Il lut régulièrement pendant un quart d'heure d'une voix monotone et chantante, et John Minute se redressa lentement et écouta le disque, le visage tendu et les paupières étroites. Il ne l'interrompit que lorsque l'autre eut fini.

"La moitié de vos faits sont des mensonges", dit-il durement. "Certains d'entre eux ne sont que des ragots ordinaires ; d'autres sont purement imaginaires."

Saul Arthur Mann ferma le livre et secoua la tête.

"Tout ici", dit-il en touchant le livre, "est vrai. Ce n'est peut-être pas la vérité telle que vous voudriez qu'elle soit connue, mais c'est la vérité. Si je pensais qu'il y avait là un seul fait qui n'était pas vrai, ma *raison d'être* serait perdu. C'est la vérité, toute la vérité et rien que la vérité, monsieur Minute, continua-t-il, et la bonne petite figure était rose de contrariété.

"Supposons que ce soit la vérité", interrompit John Minute, "quel prix demanderiez-vous pour ce dossier et les documents dont vous dites avoir besoin pour prouver leur véracité ?"

L'autre s'adossa à sa chaise et joignit les mains d'un air méditatif.

"Combien pensez-vous valoir, M. Minute ?"

"Tu devrais le savoir", dit l'autre avec un ricanement.

Saul Arthur Mann inclina la tête.

"Au prix actuel des titres, je devrais dire environ un million deux cent soixante-dix mille livres", dit-il, et John Minute ouvrit les yeux avec étonnement.

"Assez proche", a-t-il admis à contrecœur.

"Eh bien," continua le petit homme, "si vous multipliez cela par cinquante et que vous apportez tout cet argent dans mon bureau et que vous le placez sur cette table en billets de dix mille livres, vous ne pourrez pas acheter ce petit livre ou les disques qui soutiens le."

Il s'est levé d'un bond.

"J'ai peur de vous garder, M. Minute."

"Vous ne me retenez pas", dit brutalement l'autre. "Avant de partir, je veux savoir quel usage vous allez faire de vos connaissances."

Le petit homme étendit les mains en signe de dépréciation.

"A quoi ça sert ? Vous avez vu l'usage que j'en ai fait. Je vous ai dit ce qu'aucune autre âme vivante ne saura."

"Comment sais-tu que je suis John Minute ?" » demanda rapidement le visiteur.

"Quelque vingt-sept photographies de vous figurent dans le dossier qui contient votre dossier, monsieur Minute", dit calmement le petit enquêteur. « Vous voyez, vous êtes un personnage tout à fait éminent, l'un des deux cent quatre hommes vraiment riches d'Angleterre. Je ne suis pas susceptible de vous prendre pour quelqu'un d'autre, et, plus encore, votre histoire est si intéressante qu'elle est naturellement si intéressante. J'en sais beaucoup plus sur vous que si vous aviez vécu la vie ennuyeuse et placide d'un marchand de la ville. »

"Dites-moi une chose avant de partir", a demandé Minute. « Où est la personne que vous appelez « X » ? »

Saul Arthur Mann sourit et inclina légèrement la tête.

"C'est une question que vous n'avez pas le droit de poser", a-t-il déclaré. "Il s'agit d'informations dont disposent les services de police ou toute personne habilitée qui souhaite entrer en contact avec 'X'. Je pourrais ajouter, poursuivit-il, que je pourrais vous en dire bien davantage, si cela n'impliquait des personnes que vous connaissez.

John Minute quitta le bureau l'air un peu plus vieux, un peu plus pâle qu'à son entrée. Il s'est rendu à son club avec une seule pensée en tête, et cette pensée tournait autour de l'identité et du lieu où se trouvait la personne mentionnée dans le dossier du petit homme sous le nom de « X ».

CHAPITRE VII

PRÉSENTATION DE M. REX HOLLANDE

M. Rex Holland sortit de sa nouvelle voiture et, reculant d'un pas, examina sa récente acquisition d'un œil serein.

"Je pense qu'elle fera l'affaire, Feltham ", a-t-il déclaré.

Le chauffeur toucha sa casquette et sourit largement.

"Elle l'a fait en trente-huit minutes, monsieur ; pas mal pour une course de vingt milles, dont la moitié à travers Londres."

"Pas mal", a reconnu M. Holland en enlevant lentement ses gants.

La voiture était garée à l'entrée du chalet qu'une dépense d'argent somptueuse avait transformé en un palais bijou.

Il s'attarda encore, et le chauffeur, sentant qu'un encouragement à la conversation était nécessaire, osa dire qu'une voiture devrait être une bonne voiture si l'on y dépensait huit cents livres.

"Tout ce qui est bon coûte de l'argent", dit sentencieusement M. Rex Holland, puis il poursuivit: "Corrigez-moi si je me trompe, mais pendant que nous traversions Putney, ne vous ai- je pas vu faire un signe de tête au conducteur d'une autre voiture?"

"Oui Monsieur."

"Quand je vous ai engagé", a poursuivi M. Holland d'une voix égale, "vous m'avez dit que vous veniez d'arriver d'Australie et que vous ne connaissiez personne en Angleterre; je pense que mon annonce indiquait clairement que je cherchais un homme qui remplissait ces conditions. ?"

" Très bien, monsieur. J'ai été aussi surpris que vous ; le conducteur de cette voiture était un type qui a voyagé vers le vieux pays sur le même bateau que moi. C'est plutôt ridicule qu'il ait dû obtenir le même genre de travail. "

M. Holland sourit doucement.

"J'espère que son employeur n'est pas aussi farfelu que moi et qu'il paie son domestique à mon échelle."

Avec ce coup de feu, il déverrouilla et franchit la porte du chalet.

Feltham conduisit sa voiture jusqu'au garage qui avait été construit à l'arrière de la maison, et, une fois hors de vue, alluma sa pipe et, s'asseyant sur une boîte, sortit de sa poche une petite carte qu'il parcourut avec un soin inhabituel. .

Il lit:

> Un : Faire office de chauffeur et de voiturier. Deux : recevoir dix livres par semaine et dépenses. Troisièmement : Ne pas se faire d'amis ou de connaissances. Quatre : Ne jamais, sous aucun prétexte, discuter de mon employeur, de ses habitudes ou de son entreprise. Cinquièmement : ne jamais, en aucune circonstance, aller plus loin vers l'est dans Londres que ce qui est représenté par une ligne tracée depuis Marble Arch jusqu'à la gare Victoria. Sixièmement : Ne jamais reconnaître mon employeur si je le vois dans la rue en compagnie d'une autre personne.

Le chauffeur plia la carte et se gratta le menton d'un air pensif.

"Excentricité", dit-il.

C'était un joli mot de cinq syllabes, et son emploi était un réconfort pour cet Australien perturbé. Il se nettoya le visage et les mains et se rendit dans la petite cuisine pour préparer le dîner de son maître.

La maison de M. Holland était remarquable. Il était rempli de toutes les formes de dispositifs permettant d'économiser du travail que l'ingéniosité de l'homme pouvait concevoir. Les meubles, bien que luxueux, n'étaient pas en grande quantité. Des tubes à vide se trouvaient dans chaque pièce, et grâce à la fixation d'un tuyau et d'une buse et à la pression d'un interrupteur, chaque pièce pouvait être époussetée en quelques minutes. De la cuisine, à l'arrière de la chaumière, jusqu'à la salle à manger, couraient deux courroies sans fin à commande électrique, qui portaient bientôt à table le repas très simple que son cuisinier-chauffeur avait préparé.

Les restes du dîner furent débarrassés, le chauffeur renvoyé dans ses quartiers, un petit bâtiment d'une seule pièce séparé du cottage, et l'interrupteur qui chauffait le percolateur automatique qui se trouvait sur le buffet fut actionné.

M. Holland était assis en train de lire, les pieds posés sur une chaise.

Il n'interrompit son étude que le temps de verser le café dans une petite tasse blanche et de couper le courant.

Il resta assis jusqu'à ce que la petite horloge en argent sur la cheminée sonne midi, puis il plaça une carte dans le livre pour marquer l'endroit, le ferma et se leva tranquillement.

Il fit glisser un panneau dans le mur, révélant la porte en acier d'un coffre-fort. Il l'ouvrit avec une clé qu'il choisit parmi un tas. De l'intérieur du coffre-fort, il sortit une boîte en bois de cèdre, également verrouillée. Il rejeta le couvercle et en retira un à un trois chéquiers et une paire de gants en tissu fin et transparent. C'était évidemment pour se prémunir contre les empreintes digitales révélatrices.

Il les enfila soigneusement et les boutonna. Il détacha ensuite trois chèques, un de chaque livre, et, sortant un stylo-plume de sa poche, il commença à remplir les espaces vides. Il écrivait lentement, presque laborieusement, et il écrivait sans copie. Il y a très peu de faussaires dans les casiers judiciaires qui aient jamais réussi l'exploit d'imiter de mémoire la signature d'un homme. M. Rex Holland était singulièrement exceptionnel par rapport à tous les précédents, car de la date à la signature florissante, ces chèques auraient pu être rédigés et signés par John Minute.

Il y avait les mêmes « E » fantastiques, les mêmes « Y » à queue raide. Même John Minute aurait pu douter d'avoir écrit les « huit cent cinquante » qui figuraient sur un seul feuillet.

M. Holland examinait son travail sans émotion.

Il attendit que l'encre sèche avant de plier les chèques et de les mettre dans sa poche. C'était la manière de faire de John Minute, car le millionnaire n'utilisait jamais de papier buvard pour une raison quelconque, probablement liée à un événement de sa carrière antérieure. Lorsque les chèques furent dans sa poche, M. Holland ôta ses gants, les remplaça par les chéquiers dans la boîte et dans le coffre-fort, verrouilla la porte en acier, tira le panneau coulissant et se coucha.

Tôt le lendemain matin, il appela son domestique.

« Ramenez la voiture en ville », dit-il. "Je rentre en train. Retrouvez-moi au métro Holland Park à deux heures; j'ai un petit travail pour vous qui vous rapportera cinq cents."

"C'est mon travail, monsieur", a déclaré l'homme hébété lorsqu'il s'est remis du choc.

Frank accompagnait parfois May dans l'East End et, le jour où M. Rex Holland rentrait à Londres, il appelait la jeune fille à son appartement pour la conduire à Canning Town.

"Vous pouvez entrer et prendre du thé", a-t-elle invité.

"Tu es une mendiante luxueuse, May", dit-il en jetant un regard approbateur vers le salon joliment meublé. " Comparez cela avec mon humble demeure à Bayswater . "

"Je ne connais pas votre humble demeure à Bayswater ", a-t-elle ri. "Mais pourquoi diable devriez-vous choisir de vivre à Bayswater , je ne peux pas l'imaginer."

Il sirota son thé avec un clin d'œil.

"Devinez de quels revenus bénéficie l'héritier des Minute millions ?" » demanda-t-il ironiquement. "Non, je vais vous épargner l'angoisse de deviner. Je gagne sept livres par semaine à la banque, et c'est la totalité de mes revenus."

"Mais mon oncle, n'est-ce pas..." commença-t-elle avec surprise.

"Pas un bob", répondit vulgairement Frank; "pas un demi-carré."

"Mais-"

"Je sais ce que tu vas dire ; il te traite généreusement, je sais. Il me traite avec justice. Entre générosité et justice, donne-moi de la générosité tout le temps. Je vais te dire autre chose. Il paie mille dollars à Jasper Cole. année ! C'est très curieux, n'est-ce pas ? »

Elle se pencha et lui tapota le bras.

"Pauvre garçon," dit-elle avec sympathie, "ça ne rend pas les choses plus faciles – Jasper, je veux dire."

Frank fit une petite grimace et dit :

« Au fait, j'ai vu le mystérieux Jasper ce matin, sortant de la gare de Waterloo, l'air plus mystérieux que jamais. Quelles affaires particulières a-t-il dans le pays ?

Elle secoua la tête et se leva.

"Je connais aussi peu Jasper que toi," répondit-elle.

Elle se tourna et le regarda pensivement.

"Frank," dit elle, "je suis plutôt inquiète pour toi et Jasper. Je suis inquiète parce que ton oncle ne semble pas avoir la même vision de Jasper que toi. Ce n'est pas une position très héroïque pour aucun de vous, et c'est plutôt odieux pour moi."

Frank la regarda avec un sourire interrogateur.

"Pourquoi haineux pour toi?"

Elle secoua la tête.

"J'aimerais tout vous dire, mais ce ne serait pas juste."

"À qui?" » demanda rapidement Frank.

"A toi, ton oncle, ou à Jasper."

Il s'approcha d'elle.

« As-tu des sentiments si chaleureux pour Jasper ? Il a demandé.

"Je n'ai de sentiments chaleureux pour personne", a-t-elle déclaré franchement. "Oh, n'aie pas l'air si maussade, Frank ! Je suppose que je suis lent à me développer, mais tu ne peux pas t'attendre à ce que j'aie des opinions très arrêtées avant un moment."

Frank sourit tristement.

« C'est mon seul gros problème, ma chère, » dit-il doucement ; "plus grand que tout au monde".

Elle se tenait la main sur la porte, hésitante, un air perplexe sur son beau visage. Elle était du type grande et élancée, une fille qui mûrissait lentement pour devenir une femme. On aurait pu la décrire comme froide et un peu répressive, mais la vérité était qu'elle n'était pas encore touchée par les feux de la passion et, pendant ses vingt et un ans, elle était encore une écolière en bonne santé, avec l'impatience d'une écolière de sentiment.

"Je suis le dernier à raconter une histoire malheureuse", a poursuivi Frank, "mais je n'ai pas eu le meilleur de tout, ma chère. J'ai mal commencé avec mon oncle. Il n'a jamais aimé mon père ni aucun membre de la famille de mon père. Son Le traitement réservé à sa femme était infâme. Mon pauvre gouverneur était un de ces types faciles à vivre qui avaient toujours des ennuis, et c'était toujours le travail de John Minute de le faire sortir. Je n'aime pas parler de lui... " Il hésita.

Elle acquiesça.

"Je sais," dit-elle avec sympathie.

"Père n'était pas le pourri que l'oncle John pense qu'il était. Il avait ses bons côtés. Il était négligent et il buvait beaucoup plus que ce qui était bon pour lui, mais toutes les ennuis dans lesquelles il est tombé étaient dues à l'échec de ce dernier."

La jeune fille connaissait l'histoire du docteur Merrill. Il avait été esquissé brièvement mais de manière vivante par John Minute. Elle connaissait aussi quelques-unes de ces égratignures qui avaient entraîné la ruine matérielle et morale du docteur Merrill.

"Frank," dit-elle, "si je peux t'aider de quelque manière que ce soit, je le ferais."

"Vous pouvez absolument m'aider", dit doucement le jeune homme, "en m'épousant".

Elle haleta.

"Quand?" » demanda-t-elle, surprise.

"Maintenant, la semaine prochaine ; en tout cas, bientôt." Il sourit et, s'approchant d'elle, lui prit la main dans la sienne.

"May, chérie, tu sais que je t'aime. Tu sais qu'il n'y a rien au monde que je ne ferais pas pour toi, aucun sacrifice que je ne ferais pas."

Elle secoua la tête.

"Tu dois me donner un peu de temps pour y réfléchir, Frank", dit-elle.

"Ne pars pas," supplia-t-il. "Vous ne pouvez pas savoir à quel point j'ai besoin de vous d'urgence. Oncle John vous a beaucoup parlé de moi, mais vous a-t-il dit ceci - que mon seul espoir d'indépendance - l'indépendance de ses millions et de son influence - vous ne pouvez pas savoir à quel point c'est répandu. ou cette influence pernicieuse, dit-il avec une passion inhabituelle dans la voix, réside-t-elle dans mon mariage avant mon vingt-quatrième anniversaire ?

"Franc!"

"C'est vrai. Je ne peux pas vous en dire plus , mais John Minute le sait. Si je me marie dans les dix prochains jours" - il claqua des doigts - " ce sera pour ses millions. Je suis indépendant de son héritage, indépendant de son patronage. " ".

Elle le regarda, les yeux ouverts.

"Tu ne me l'as jamais dit auparavant."

Il secoua la tête avec un peu de désespoir.

"Il y a certaines choses que je ne pourrai jamais te dire, May, et d'autres que tu ne pourras jamais savoir avant que nous soyons mariés. Je te demande seulement de me faire confiance."

« Mais supposons, balbutia-t-elle, que vous ne soyez pas marié dans dix jours, que se passera-t-il ?

Il haussa les épaules.

"'Je suis l'homme lige de John, de vie, d'intégrité physique et de considération terrestre'", a-t-il cité avec désinvolture. "J'attendrai avec espoir la seule libération qui puisse venir, celle qu'apportera sa mort. Je déteste dire ça, car il y a quelque chose chez lui que j'aime énormément, mais c'est la vérité, et, May", a-t-il déclaré. , lui tenant toujours la main et la regardant sérieusement, "Je ne veux pas ressentir cela à propos de John Minute. Je ne veux pas attendre sa fin avec impatience. Je veux le rencontrer sans aucun sentiment de dépendance. Je Je ne veux pas chercher tout le temps des signes de décadence et de décrépitude, et saluer chaque maladie qu'il peut avoir avec un sentiment d'anticipation agréable. C'est bestial de ma part de parler ainsi, je sais, mais si vous étiez dans mon position — si vous saviez tout ce que je sais — vous comprendriez.

L'esprit de la jeune fille était en ébullition. Une réunion ordinaire s'était déroulée de manière si tumultueuse qu'elle avait perdu le contrôle de la situation. Une centaine de pensées lui traversaient l'esprit. Elle avait l'impression d'être un arbitre décidant entre deux hommes qu'elle aimait tous deux et, même à ce moment-là, faisait irruption dans sa vision mentale une image de Jasper Cole, avec son visage pâle et intellectuel et son air grave, yeux sombres.

"Je dois y réfléchir", répéta-t-elle. "Je ne pense pas que tu ferais mieux de venir en mission avec moi."

Il acquiesça.

"Peut-être avez-vous raison", dit-il.

Doucement, elle relâcha sa main et le quitta.

Pour elle, ce jour était celui d'une perturbation mentale suprême. Quelle était la raison extraordinaire qui l'avait contraint à se marier avant son vingt-quatrième anniversaire ? Elle se rappelait comment John Minute avait insisté pour que ses réflexions sur le mariage soient au moins reportées à quinze jours. Pourquoi John Minute lui avait-il soudainement lancé cette histoire de son héritage ? Pour la première fois de sa vie, elle commença à considérer son oncle avec méfiance.

Pour Frank, la journée ne s'est pas déroulée sans sensations. La succursale de Piccadilly de la London and Western Counties Bank occupe des locaux spacieux, mais Frank n'avait jamais obtenu l'usage d'un bureau privé. Son grand bureau se trouvait dans un coin éloigné du comptoir, entouré sur trois côtés d'un paravent moitié verre et moitié boiseries en teck. De là où il était assis , il pouvait avoir une vue sur le comptoir, disposition nécessaire puisqu'il était parfois appelé à identifier les porteurs de chèques.

Il revint un peu avant trois heures de l'après-midi, et M. Brandon, le directeur, sortit précipitamment de son petit sanctuaire à l'arrière des locaux et fit signe à Frank d'entrer dans son bureau.

"Vous avez pris énormément de temps pour déjeuner", se plaignit-il.

"Je suis désolé", a déclaré Frank. "J'ai rencontré Miss Nuttall et le temps a passé vite."

"Avez-vous vu Holland l'autre jour ?" l'interrompit le directeur.

"Je ne l'ai pas vu le jour où vous m'avez envoyé", répondit Frank, "mais je l'ai vu le lendemain."

"Est-ce un ami de ton oncle ?"

"Je ne pense pas. Pourquoi tu demandes ?"

Le gérant prit trois chèques qui étaient sur la table et Frank les examina. L'un valait huit cent cinquante livres six shillings et était tiré sur la Liverpool Cotton Bank, l'autre valait quarante et un mille cent quarante livres et était tiré sur la Banque d'Angleterre, et l'autre valait sept mille neuf livres. cent quatre-vingt- dix-neuf livres, quatorze shillings. Ils étaient tous signés « John Minute », et ils étaient tous payables à « Rex Holland, esquire », et étaient barrés.

Or, John Minute avait une pratique très curieuse consistant à répartir les paiements de manière à ce qu'ils couvrent les trois banques auprès desquelles son argent était déposé. Le chèque de sept mille neuf cent quatre-vingt-dix-neuf livres quatorze shillings était tiré sur la London and Western Counties Bank, ce qui aurait donné au directeur un aperçu, même s'il n'avait pas bien connu l'excentricité de John Minute.

" Sept mille neuf cent quatre-vingt-dix-neuf livres, quatorze shillings du solde de M. Minute, " dit le directeur, " cela laisse exactement cinquante mille livres. "

M. Brandon secoua la tête avec désespoir face aux méthodes peu professionnelles de son patron.

« Est-ce qu'il connaît votre oncle ?

"OMS?"

"Rex Hollande."

Frank fronça les sourcils dans un effort de mémoire.

"Je ne me souviens pas que mon oncle ait jamais parlé de lui, et pourtant, maintenant que j'y pense, l'un des premiers chèques qu'il a déposé à la banque était sur le compte de mon oncle. Oui, maintenant je m'en souviens", s'est-il exclamé. "Il a ouvert le compte sur une lettre d'introduction signée par M. Minute. Je pensais à l'époque qu'ils avaient probablement eu des relations d'affaires ensemble, et comme mon oncle n'encourage jamais les discussions sur les affaires bancaires en dehors de la banque, je n'ai jamais je lui en ai parlé."

Encore une fois, M. Brandon secoua la tête, dubitatif.

"Je dois dire, M. Merrill," dit-il, "je n'aime pas ces mystérieux déposants. Comment est-il en apparence ?"

"Plutôt un homme grand et jeune, superbement habillé."

"Rasé de près?"

"Non, il a une barbe noire bien taillée, mais il ne peut pas avoir plus de vingt-huit ans. En fait, lorsque je l'ai vu pour la première fois, ce visage m'était familier et j'ai eu l'impression de l'avoir déjà vu. Je pense qu'il portait des lunettes à monture dorée lorsqu'il est venu la première fois, mais je ne l'ai jamais rencontré dans la rue et il ne bouge pratiquement pas dans mon humble cercle social. Franck sourit.

"Je suppose que tout va bien", dit le directeur d'un ton dubitatif ; "Mais, de toute façon, je le verrai demain. Par mesure de précaution, nous pourrions entrer en contact avec votre oncle, même si je sais qu'il relèvera Caïn si nous le dérangeons à propos de son histoire."

"Il relèvera certainement Caïn si vous le contactez aujourd'hui", sourit Frank, "car il doit partir à deux heures vingt cet après-midi pour Paris."

Il manquait cinq minutes avant l'heure à laquelle la banque fermait lorsqu'un employé franchit la porte battante et déposa une lettre sur le comptoir qui fut remise à M. Brandon, qui entra immédiatement dans le bureau et se dirigea vers l'endroit où Frank était assis.

"Regarde ça," dit-il.

Frank prit la lettre et la lut. Il était adressé au directeur et disait :

CHER MONSIEUR, Je pars ce soir pour Paris pour rejoindre mon associé, M. Minute. Je serai donc très heureux si vous acceptez d'encaisser le chèque ci-joint .

Cordialement votre,

REX A. HOLLANDE.

Le « chèque inclus » était de cinquante-cinq mille livres et se situait à moins de cinq mille livres du montant figurant sur le compte bancaire de M. Holland. Il y avait un post-scriptum à la lettre :

Vous accepterez ceci, mon reçu, pour la somme, et le remettrez à mon messager, le sergent George Graylin , du corps des commissionnaires, et cette forme de reçu servira à vous indemniser de toute perte en cas d'accident.

Le gérant se dirigea vers le comptoir.

"Qui t'a donné cette lettre ?" Il a demandé.

"M. Holland, monsieur", dit l'homme.

« Où est M. Holland ? demanda Franck.

Le sergent secoua la tête.

"Dans son appartement. Mes instructions étaient d'apporter cette lettre à la banque et de rapporter l'argent."

Le directeur était dans un dilemme. Il s'agissait d'une transaction régulière et il n'était en aucun cas inhabituel de verser de l'argent de cette manière. Seule l'importance de la somme le faisait hésiter. Il disparut dans son bureau et revint avec deux liasses de billets qu'il avait pris dans le coffre-fort. Il les compta, les plaça dans une enveloppe cachetée et reçut du sergent son récépissé.

Une fois l'homme parti, Brandon s'essuya le front.

"Phew!" il a dit. "Je n'aime pas beaucoup cette façon de faire des affaires et je serais vraiment très heureux d'être transféré au siège social."

A peine les mots étaient-ils sortis de sa bouche qu'une cloche sonna violemment. Les portes d'entrée de la banque avaient été fermées avec le départ du commissaire, et l'un des employés subalternes, équilibrant son carnet de notes, laissa tomber sa plume et, sur un signe de son chef, se dirigeant vers la porte, retira le boulons et admis—John Minute.

Frank le regarda avec étonnement.

"Bonjour, mon oncle", dit-il. "J'aurais aimé que tu viennes quelques minutes avant. Je pensais que tu étais à Paris."

"Le fil qui m'appelait à Paris était un faux", grogne John Minute. "J'ai télégraphié pour avoir confirmation et j'ai découvert que mes gens de Paris ne m'avaient envoyé aucun message. J'ai seulement reçu le télégramme juste avant le départ du train. J'ai passé tout l'après-midi à téléphoner à Paris pour démêler cette confusion. Pourquoi tu aurais aimé être là cinq minutes plus tôt ? »

"Parce que," dit Frank, "nous venons de payer cinquante-cinq mille livres à votre ami, M. Holland."

"Mon ami?" John Minute regardait tour à tour le manager et Frank, puis Frank vers le manager, qui éprouva soudain un sentiment de naufrage qui accompagne un désastre.

« Qu'entends-tu par « mon ami » ? » demanda John Minute. "Je n'ai jamais entendu parler de cet homme auparavant."

"N'avez-vous pas remis à M. Holland des chèques d'un montant de cinquante-cinq mille livres ce matin ?" haleta le gérant, pâlissant soudain.

"Certainement pas!" » rugit John Minute. "Pourquoi diable devrais-je lui donner des chèques ? Je n'ai jamais entendu parler de cet homme."

Le gérant saisit le comptoir pour obtenir de l'aide.

Il expliqua la situation en quelques mots hésitants et le conduisit à son bureau, Frank l'accompagnant.

John Minute a examiné les chèques.

"C'est mon écriture", a-t-il déclaré. — Je pourrais le jurer moi-même, et pourtant je n'ai jamais fait ni signé ces chèques. Avez-vous noté le numéro du commissionnaire ?

"En fait , je l'ai noté", a déclaré Frank.

À ce moment-là, le directeur était au téléphone avec la police. Ce soir-là, à sept heures, le commissionnaire fut découvert. Il avait été employé, dit-il, par un M. Holland, qu'il décrivait comme un homme mince , rasé de près et ne répondant en aucun cas à la description que Frank avait donnée.

"J'ai vécu longtemps en Australie", a déclaré le commissionnaire, "et il parlait comme un Australien. En fait, lorsque je mentionnais certains endroits où j'étais allé, il m'a dit qu'il les connaissait."

La police découvrit en outre que l'appartement de Knightsbridge avait été pris et meublé trois mois auparavant par M. Rex Holland, les négociations ayant eu lieu par lettre. L'agent de M. Holland avait assumé la responsabilité de l'appartement, et l'agent de M. Holland était facilement repérable parmi un commis employé par une société bien connue d'arpenteurs et de commissaires-priseurs, qui avait également reçu sa commission par lettre.

Lorsque la police a fouillé l' appartement, elle n'a trouvé qu'un seul élément qui l'a aidé dans son enquête. Le portier du hall a déclaré que, le plus souvent, l'appartement était inoccupé et que ce n'était qu'occasionnellement, lorsqu'il n'était pas en service, que M. Holland apparaissait, et il ne le savait que par les déclarations faites par d'autres locataires.

« On en arrive là », dit John Minute d'un air sombre ; "que personne n'a vu M. Holland à part vous, Frank."

Frank se raidit.

"Je ne dis pas que vous êtes impliqué dans l'escroquerie", a déclaré Minute d'un ton bourru. "Il est fort probable que l'homme que vous avez vu n'était pas M. Holland, et c'est probablement l'œuvre d'un gang, mais je vais découvrir qui est cet homme, si je dois dépenser deux fois plus que ce que j'ai perdu. ".

La police n'était pas encourageante.

L'inspecteur-détective Nash, de Scotland Yard, qui avait traité certains des plus gros cas d'escroqueries bancaires, n'avait aucun espoir de récupérer l'argent.

"En théorie, vous pouvez récupérer les billets si vous avez leurs numéros", a-t-il déclaré, "mais en pratique, il est presque impossible de les récupérer, car il est assez facile de changer même des billets de cinq cents livres, et vous trouverez probablement ceux-ci seront en circulation dans une semaine ou deux.

Ses spéculations se révélèrent exactes, car le troisième jour après le crime, trois des notes manquantes firent curieusement leur apparition.

"Ready-Money Minute", fidèle à son surnom, avait l'habitude d'équilibrer ses comptes de banque à banque par des paiements en espèces. Il avait pris pour habitude que tous ses dividendes soient payés en espèces, et ceux-ci étaient envoyés en masse à la succursale de Piccadilly de la London and Western Counties Bank. Après le paiement d'une somme très importante au titre de certains dividendes provenant de ses investissements sud-africains, trois des billets manquants ont été découverts dans la banque même.

John Minute, prévenu par télégramme du fait, ne dit rien ; car l'argent avait été versé par son secrétaire de confiance, Jasper Cole, et il y avait d'excellentes raisons pour qu'il ne désire pas insister sur ce fait.

CHAPITRE VIII

LE SERGENT SMITH APPELLE

La grande bibliothèque de Weald Lodge était brillamment éclairée et personne n'avait baissé les stores. De sorte qu'il était possible à quiconque s'en donnait la peine de sauter le muret de pierre qui longeait la route et de se frayer un chemin à travers les buissons humides pour voir tout ce qui se passait dans la pièce.

Weald Lodge se situe entre Eastbourne et Wilmington, et pendant les mois d'hiver, les curieux, représentés par de jeunes vacanciers, sont rares. L'agent Wiseman, de la police d'Eastbourne, n'était certainement pas curieux. Il marchait lentement et humidement et remarquait seulement, au passage, le flot de lumière qui se reflétait sur le petit carré de pelouse à côté de la maison.

Il était neuf heures un soir de juin, et officiellement ce n'était que l'heure du coucher du soleil, même si les nuages de pluie descendants avaient tellement assombri le monde que la nuit s'était refermée sur le weald, avait effacé ses agréables villages et avait caché le paysage. duvets verts.

Il continua jusqu'au bout de son parcours et rencontra son supérieur impatient.

« Tout va bien, sergent », rapporta-t-il ; "seulement les lumières du vieux Minute brillent et ses fenêtres sont ouvertes."

"Mieux vaut aller le prévenir", dit le sergent en mettant sa bicyclette en position pour monter.

Il avait le pied sur la pédale, mais hésita.

"Je le préviendrais moi-même, mais je ne pense pas qu'il serait content de me voir."

Il sourit intérieurement, puis remarqua : « Il y a quelque chose de bizarre chez Minute, hein ?

"Il y en a effectivement", a reconnu chaleureusement l'agent Wiseman. Son rythme était solitaire et il s'ennuyait beaucoup. Si, d'un commun accord avec son officier, il pouvait amener ce bavard monsieur à parler pendant un quart d'heure, tant de temps ennuyeux pourrait être passé. Le fait que le sergent Smith était bavard indiquait également qu'il avait bu et qu'il était prêt à se quereller avec n'importe qui.

"Venez à l'abri de ce mur", dit le sergent, et il poussa son engin jusqu'à la protection offerte par le mur latéral d'une maison.

Il est possible que le sergent ait eu envie d'imprimer dans l'esprit de son subordonné un point de vue qui pourrait lui être utile un jour.

"Minute est un vieil homme dangereux", a-t-il déclaré.

"Je ne le sais pas?" » dit l'agent Wiseman, se souvenant de divers « rapports » et enquêtes.

« Vous devez vous en rappeler, Wiseman, » continua le sergent ; "et par 'dangereux', je veux dire que c'est le genre de vieux bonhomme qui demanderait à un agent de police de venir prendre un verre et de le dénoncer ensuite."

"Bon dieu!" dit M. Wiseman choqué par cette révélation de la plus noire trahison.

Le sergent Smith hocha la tête.

"C'est le genre d'homme qu'il est", a-t-il déclaré. « Je l'ai connu il y a des années – du moins, je l'ai vu. J'étais au Matabeleland avec lui, et je vous le dis, il n'y a rien de trop méchant pour « Ready-Money Minute » – maudit soit-le !

"Je parie que vous avez eu une vie terrible, sergent", a encouragé l'agent Wiseman.

L'autre rit amèrement.

"Oui," dit-il.

La connaissance du sergent Smith avec Eastbourne fut de courte durée. Il n'était dans la ville que depuis quatre ans et, selon la rumeur, il devait sa promotion à son influence. Quelle était cette influence, personne ne pouvait le dire. Il avait été suggéré que John Minute lui-même lui avait assuré ses galons de sergent, mais c'était une théorie qui a été rejetée par ceux qui savaient que le sergent n'avait pas grand-chose de bon à dire de son supposé patron.

L'agent Wiseman, un penseur profond et un lecteur secret de romans policiers sensationnels, avait à un moment donné fait un rapport contre John Minute pour une infraction technique, et l'avait fait avec peur et tremblement, s'attendant à ce que son sergent écrase rapidement cette tentative de persécuter son mécène; mais, à sa grande surprise et à sa grande joie, le sergent Smith avait poursuivi ses efforts et contribué à obtenir une condamnation qui impliquait une amende.

"Continuez et terminez votre patrouille, Constable", dit soudain le sergent, "et je monterai jusqu'à la vieille maison du diable et verrai ce qui se passe."

Il monta sur son vélo et gravit la colline, descendit devant Weald Lodge et appuya son vélo contre le mur. Il regarda longuement vers les portes-fenêtres ouvertes, puis, sautant le mur, traversa lentement la pelouse, évitant le chemin de gravier qui trahirait sa présence. Il arriva à un point en face de la fenêtre qui offrait une vue complète de la pièce.

Même si la fenêtre était ouverte, il y avait du feu dans la cheminée. À la grande satisfaction du sergent, John Minute était seul. Il était assis dans un fauteuil profond dans son attitude préférée, les mains enfoncées dans les poches, la tête sur la poitrine. Il entendit le pas du sergent sur le gravier et se leva lorsque la silhouette trempée de pluie apparut par la fenêtre ouverte.

"Oh, c'est toi, n'est-ce pas ?" grogna John Minute. "Que veux-tu?"

"Seul?" » dit le sergent, et il parlait comme un seul à son égal.

"Entrez!"

La bibliothèque de M. Minute avait été meublée par l'Artistic Furniture Company, d'Eastbourne, qui avait des succursales à Hastings, Bexhill , Brighton et, prétendait-on, à Londres. Les meubles étaient en chêne foncé, très sculptés. Il y avait une grande bibliothèque qui couvrait à moitié un mur. C'était la « bibliothèque », et elle était remplie de livres à reliure uniforme qui occupaient les étagères. Les livres avaient été fournis par un grand libraire de Londres et comprenaient, à la suggestion de M. Minute, « Les cent meilleurs livres », « Les livres qui m'ont aidé », « L'Encyclopédie Brillonica » et vingt volumes reliés d'un certain hebdomadaire. périodique de renommée internationale. John Minute n'avait aucune tendance littéraire.

Le sergent hésita, essuya ses lourdes bottes sur la natte détrempée devant la fenêtre et entra dans la pièce.

"Tu es plutôt confortable, John," dit-il.

"Que veux-tu?" demanda Minute sans enthousiasme.

"J'ai pensé vous chercher. Mon agent a signalé que vos fenêtres étaient ouvertes, et j'ai estimé qu'il était de mon devoir de venir vous avertir : il y a des voleurs dans les environs, John."

"J'en connais un", dit John Minute, regardant l'autre fixement. "Votre agent, comme vous l'appelez, est, je présume, cet imbécile à la tête épaisse, Wiseman !"

"Je l'ai eu du premier coup", dit le sergent en retirant sa cape imperméable. "Je ne vous dérange pas souvent, mais d'une manière ou d'une autre, j'avais le sentiment que j'aimerais vous voir ce soir. Mon agent a ravivé de vieux souvenirs, John."

"C'est désagréable pour vous, j'espère", dit John Minute sans grâce.

"Il y a une jolie petite ferme aurifère à six cents kilomètres au nord de Gwelo ", dit pensivement le sergent Smith.

"Et un joli petit brise-lames à 800 mètres au sud de Cape Town", a déclaré John Minute, "où le gouvernement du Cap garde des bandits qui bloquent l'autocar de Salisbury et volent le courrier."

Le sergent Smith sourit.

« Vous aurez votre petite plaisanterie, » dit-il ; "Mais je pourrais vous rappeler qu'ils ont de nombreux logements sur le brise-lames, John. Ils s'occupent même des hommes qui ont volé des terres et assassiné des indigènes."

"Que veux-tu?" » demanda encore John Minute.

L'autre sourit.

"Juste une agréable petite visite amicale", expliqua-t-il. "Je ne vous ai pas recherché depuis douze mois. C'est une vie dure, ce travail de policier, même quand vous recevez deux ou trois livres par semaine d'une source privée pour ajouter à votre salaire. Cela n'a rien à voir avec le travail que nous "J'ai dans la police montée de Matabele, hein, John ? Mais, Seigneur," dit-il en regardant pensivement le feu, "quand je pense à la façon dont je me suis levé dans le bureau du procureur de Salisbury et j'ai prêté serment solennel que le vieux John Gedding avait transféré son or Saibach vous réclame sur son lit de mort ; quand je pense à l'ampleur du parjure – moi un serviteur en uniforme de la British South African Company et, pour ainsi dire, un fonctionnaire de la loi – je rougis de moi-même.

"Est-ce qu'il vous arrive de rougir de vous-même quand vous pensez à la façon dont vous et vos amis avez braqué le magasin d'Hoffman, tiré sur Hoffman et pris son butin ?" » demanda John Minute. "Je donnerais beaucoup d'argent pour te voir rougir, Crawley ; et maintenant, pour la quatorzième fois environ, que veux-tu ? Si c'est de l'argent, tu ne peux pas l'avoir. Si c'est plus de promotion, tu es pas digne de l'avoir. Si c'est un conseil… »

L'autre l'arrêta d'un mouvement de la main.

"Je ne peux pas me permettre d'avoir vos conseils, John", dit-il. "Tout ce que je sais, c'est que vous m'avez promis ma juste part sur ces réclamations de Saibach . C'est une mine payante maintenant. On me dit que son capital est de deux millions ."

"Vous étiez bien payé", dit brièvement John Minute.

"Cinq cents livres, ce n'est pas beaucoup pour l'abandon du salut de votre âme", a déclaré le sergent Smith.

Il replaça lentement sa cape sur ses larges épaules et se dirigea vers la fenêtre.

"Écoutez ici, John Minute !" Toute la bonne humeur avait disparu de sa voix, et c'était le soldat Henry Crawley, le contrevenant, qui parlait. "Tu ne vas pas me satisfaire très longtemps avec quelques kilos par semaine. Tu dois faire ce qu'il faut avec moi, sinon je vais exploser."

"Faites-moi savoir quand votre souffle commencera", a déclaré John Minute, "et je vous enverrai un bol de soupe à refroidir."

"Tu es drôle, mais tu ne m'amuses pas", furent les derniers mots du sergent alors qu'il marchait sous la pluie.

Comme auparavant, il évita l'allée et sauta par-dessus le muret pour rejoindre la route, et fut heureux de l'avoir fait, car une automobile entra dans l'allée et s'arrêta devant la porte sombre de la maison. Il franchit de nouveau le mur en un instant et traversa à pas rapides et silencieux en direction de la voiture. Il s'est approché le plus possible et a écouté.

Deux des voix qu'il reconnut. Le troisième, celui d'un homme, était un étranger. Il entendit cette troisième personne appelée « inspecteur » et se demanda qui était l'invité. Sa curiosité ne devait pas être satisfaite, car au moment où il atteignait le point de vue sur la pelouse qui surplombait la bibliothèque, John Minute avait fermé les fenêtres et baissé les stores.

Les visiteurs de Weald Lodge étaient trois : Jasper Cole, May Nuttall et un gros homme d'âge moyen, au discours lent mais au ton autoritaire. Il s'agissait de l'inspecteur Nash, de Scotland Yard, qui était chargé des enquêtes sur les faux. Minute les reçut à la bibliothèque. Il connaissait l'inspecteur d'antan.

Jasper avait fait tomber May en réponse aux instructions télégraphiées que John Minute lui avait envoyées.

"Quelles sont les nouvelles?" Il a demandé.

"Eh bien, je pense avoir trouvé votre M. Holland", a déclaré l'inspecteur.

Il sortit une grosse valise de sa poche intérieure, l'ouvrit et en sortit une photo instantanée. Il représentait une grosse automobile et, debout près de son capot, un petit homme en uniforme de chauffeur.

"C'est l'individu qui se faisait appeler "Rex Holland" et qui a envoyé le commissionnaire faire sa commission. La photographic est entrée en ma possession à la suite d'un accident. Elle a été découverte dans l'appartement et était évidemment tombée de la poche de l'homme. Je me suis renseigné et j'ai découvert qu'elle avait été prise par un petit photographe de Putney et que l'homme avait appelé pour les photographies vers dix heures du matin le jour même où il avait envoyé le commissionnaire faire sa commission. " _

"Suggérez-vous sérieusement que cet homme soit Rex Holland ?"

L'inspecteur secoua la tête.

"Je pense qu'il fait simplement partie du gang ", a-t-il déclaré. "Je ne crois pas que vous retrouverez jamais Rex Holland, car chacun des membres de la bande prenait le nom à tour de rôle pour prendre le rôle, selon les circonstances dans lesquelles ils se trouvaient. Je n'ai pas pu l'identifier, sauf qu'il est allé du nom de Feltham et était australien. C'est le nom qu'il a donné au photographe avec qui il a parlé. Vous voyez, la photo a été prise à High Street, Putney. Le seul indice que nous avons est qu'il a été vu plusieurs fois sur Portsmouth Road, conduisant une ou deux voitures dans lesquelles se trouvait un homme qui est probablement le plus proche de Rex Holland que nous trouverons.

"J'ai chargé mes hommes de procéder à des enquêtes plus approfondies, et la police de Haslemere leur a dit que l'on pensait que la voiture appartenait à un homme qui vivait dans une maison fermée à une certaine distance de Haslemere - ce qui était évidemment une affaire de fanfaronnade, car son propriétaire " J'ai fait poser un câble électrique et des fils téléphoniques, et la maison a été transformée et rénovée il y a douze mois à un coût très considérable. Je pourrai vous en dire davantage demain. "

Ils passèrent le reste de la soirée à discuter du crime et la jeune fille écoutait silencieusement. Ce n'est que très tard que John Minute a pu lui accorder toute son attention.

"Je t'ai demandé de descendre", dit-il, "parce que je commence à m'inquiéter un peu pour toi."

"Tu t'inquiètes pour moi, mon oncle ?" dit-elle surprise.

Il acquiesca.

Les deux hommes étaient allés au bureau de Jasper, et elle était seule avec son oncle.

«Lorsque j'ai déjeuné avec vous l'autre jour au Savoy, dit-il, je vous ai parlé de votre mariage et je vous ai demandé de différer toute action de quinze jours.»

Elle acquiesça.

« Je venais vous voir précisément à ce sujet », dit-elle. « Mon oncle, ne veux-tu pas me dire pourquoi tu veux que je retarde mon mariage de quinze jours, et pourquoi tu penses que je vais me marier ?

Il ne répondit pas immédiatement, mais fit les cent pas dans la pièce.

« May, dit-il, vous avez beaucoup entendu parler de moi, ce qui n'est pas très flatteur. J'ai vécu une vie très dure en Afrique du Sud et je n'avais qu'un seul ami au monde en qui j'avais la moindre confiance. Mon ami était ton père. Il m'a soutenu dans mes mauvais moments. Il ne m'a jamais inquiété quand j'avais beaucoup d'argent, ne m'a jamais refusé quand j'étais fauché . Chaque fois qu'il m'aidait, il se contentait de la récompense que je lui offrais. pas de « cinquante-cinquante » avec Bill Nuttall. C'était un homme qui n'avait ni ambition, ni avarice – l'homme le plus blanc que j'ai jamais rencontré. Ce que je ne vous ai pas dit à son sujet, c'est ceci : lui et moi étions des partenaires égaux dans une mine. , le Gwelo Deep. Il avait une grande confiance dans la mine, et je n'en avais aucune. Je savais que c'était l'une de ces propriétés que l'on trouve parfois en Rhodésie, toutes en poches et en affleurements. Quoi qu'il en soit, nous avons lancé une société.

Il s'arrêta et rit comme à un souvenir amusant.

"Les actions en livres sterling valaient un peu moins de six pence jusqu'à il y a quinze jours."

Il la regardait avec un de ces regards rapides et pénétrants, comme s'il avait hâte de découvrir ses pensées.

« Il y a quinze jours, dit-il, j'ai appris par mon agent à Bulawayo qu'un récif avait été heurté sur une mine voisine et que ce récif traverse notre propriété. Si cela est vrai, vous serez une femme riche dans votre pays. de plein droit, à part l'argent que vous recevez de moi. Je ne peux pas dire si c'est vrai avant d'avoir eu des nouvelles des ingénieurs qui examinent actuellement la propriété, et je ne peux pas le savoir avant quinze jours. May, tu es une chère fille. ", dit-il en lui posant la main sur le bras, " et je t'ai soigné comme si tu étais ma propre fille. C'est un bonheur pour moi de savoir que tu seras une femme très riche, car les actions de ton père étaient C'est le seul bien que vous avez hérité de lui. Il y a cependant une chose curieuse que je n'arrive pas à comprendre.

Il se dirigea vers le bureau, déverrouilla un tiroir et en sortit une lettre.

"Mon agent dit qu'il m'a informé il y a deux ans de l'existence de ce récif et s'est demandé pourquoi je ne lui avais jamais donné le pouvoir de forer. Je n'ai aucun souvenir qu'il m'ait jamais dit quoi que ce soit de ce genre.

Maintenant, vous connaissez la situation," dit-il en remettant la lettre et en fermant le tiroir avec fracas.

"Vous voulez que j'attende un meilleur match", dit la jeune fille.

Il inclina la tête.

"Je ne veux pas que tu te maries avant quinze jours", répéta-t-il.

May Nuttall s'est couchée ce soir-là, pleine de doutes et plus que malheureuse. L'histoire que John Minute a racontée à propos de son père, était-elle vraie ? Était-ce une histoire inventée sur un coup de tête pour contrer le plan de Frank ? Elle pensa à Frank et à sa supplication presque solennelle. Il n'y avait aucun doute sur son sérieux ou sa sincérité. Si seulement il voulait la mettre dans ses confidences – et pourtant elle reconnut et fut surprise de la révélation qu'elle ne voulait pas de cette confiance. Elle avait très envie d'aider Frank, et ce n'était pas le romantisme de la situation qui la séduisait. Il y avait un grand sens du devoir, quelque chose de ce sens maternel que possède toute femme, qui la tentait au sacrifice. Etait-ce pourtant un sacrifice ?

Elle débattit de cette question la moitié de la nuit, se balançant d'un côté à l'autre. Elle ne put dormir et, se levant avant l'aube, enfila sa robe de chambre et se dirigea vers la fenêtre. La pluie avait cessé, les nuages s'étaient brisés et formaient des barres noires sur la lumière argentée de l'aube. Elle eut une faim inexplicable et, après une seconde d'hésitation, elle ouvrit la porte et descendit les larges escaliers menant au couloir.

Pour accéder à la cuisine, elle dut passer la porte de son oncle et elle remarqua qu'elle était entrouverte. Elle pensa qu'il s'était peut-être couché et avait laissé la lumière allumée, et sa main était sur le bouton pour enquêter lorsqu'elle entendit une voix et recula précipitamment. C'était la voix de Jasper Cole.

"J'ai étudié très attentivement les comptes avec Mackensen , le comptable, et il ne semble y avoir aucun doute", a-t-il déclaré.

"Vous pensez..." demanda son oncle.

"J'en suis certain," répondit Jasper, de son ton égal et sans passion. "La fraude a été opérée par Frank. Il avait accès aux livres. Il était la seule personne à avoir vu Rex Holland ; il était le seul fonctionnaire de la banque qui pouvait éventuellement falsifier les entrées et en même temps cacher sa trace."

La jeune fille devint froide et vacilla un instant comme si elle allait s'évanouir. Elle s'agrippa au montant de la porte pour se soutenir et attendit.

"Je suis à moitié enclin à votre croyance", dit lentement John Minute. "C'est affreux de croire que Frank est un faussaire, comme son père l'était... affreux !"

"C'est assez horrible," dit la voix de Jasper, "mais c'est vrai."

La jeune fille ouvrit la porte et se tint dans l'embrasure.

"C'est un mensonge!" s'écria-t-elle avec colère. « Un horrible mensonge – et tu sais que c'est un mensonge, Jasper !

Sans ajouter un mot, elle se retourna et claqua la porte derrière elle.

CHAPITRE IX

FRANK MERRILL À L'AUTEL

Frank Merrill franchit les portes battantes de la London and Western Counties Bank le cœur léger et le sourire aux yeux et se rendit directement au bureau de son chef.

"Je voudrais que vous me laissiez sortir cet après-midi pendant une heure", dit-il.

Brandon leva les yeux avec lassitude. Il n'avait pas été sans moments d'insomnie, et la tension du faux et de l'audit qui s'ensuivit lui pesait lourdement. Il acquiesça silencieusement et Frank retourna à son bureau en fredonnant un air.

Il avait toutes les raisons d'être heureux, car dans sa poche se trouvait la licence spéciale qui lui avait été accordée, contre rémunération, et qui lui permettait d'épouser la jeune fille dont l'étonnant télégramme était arrivé ce matin-là pendant qu'il déjeunait. Il ne contenait que quatre mots :

> Je t'épouse aujourd'hui. PEUT.

Il ne pouvait pas deviner quelles circonstances extraordinaires l'avaient amenée à adopter une opinion aussi précise, mais c'était un jeune homme très content et heureux.

Elle devait arriver à Londres peu après midi, et il avait prévu de la rencontrer à la gare et de l'emmener déjeuner. Peut-être qu'elle expliquerait alors la raison de son geste. Il comptait parmi ses connaissances le recteur d'une église de banlieue, qui avait accepté de célébrer la cérémonie et de fournir les témoins nécessaires.

C'est un jeune homme rayonnant qui rencontra la jeune fille, mais le sourire quitta son visage lorsqu'il vit à quel point elle était pâle et hagarde .

"Emmène-moi quelque part," dit-elle rapidement.

"Es-tu malade?" » demanda-t-il anxieusement.

Elle secoua la tête.

Ils avaient le restaurant Pall Mall pour eux seuls, car il était trop tôt pour les déjeuners habituels .

"Maintenant, dis-moi, ma chérie," dit-il en lui attrapant les mains au-dessus de la table, "à quoi dois-je cette merveilleuse décision ?"

"Je ne peux pas te le dire, Frank," dit-elle à bout de souffle. "Je ne veux pas y penser. Tout ce que je sais, c'est que les gens ont été bestiaux à ton égard. Je vais faire tout ce que je peux pour me rattraper."

Elle était un peu hystérique et très surmenée, et il décida de ne pas insister sur la question, même si ses paroles le laissèrent perplexe.

"Où allez-vous séjourner?" Il a demandé.

"Je reste au Savoy", répondit-elle. "Que dois-je faire?"

En quelques mots, il lui indiqua le lieu où la cérémonie devait avoir lieu et l'heure à laquelle elle devait quitter l'hôtel.

"Nous prendrons le train de nuit pour le continent", a-t-il déclaré.

"Mais ton travail, Frank ?"

Il rit.

"Oh, c'est du boulot !" il a pleuré de façon hilarante. "Je ne peux pas penser au travail aujourd'hui."

A deux heures et quart, il attendait à la sacristie l'arrivée de la jeune fille, causant avec son ami le recteur. Il avait fait en sorte que la cérémonie ait lieu à deux heures et demie ; et les témoins, un verger maussade et une femme occupée à nettoyer l'église, étaient assis sur les bancs du bâtiment vide, attendant de gagner la guinée qui leur avait été promise.

La conversation ne portait sur rien de particulier – un de ces échanges vides et inutiles de pensées et de discours banals, caractéristiques d'une telle occasion.

À deux heures et demie, Frank regarda sa montre et sortit de l'église jusqu'au bout de la route. Il n'y avait aucun signe de la jeune fille. A deux heures quarante-cinq, il se rendit chez un buraliste providentiel, téléphona au Savoy et on lui dit que la dame était partie une demi-heure auparavant.

« Elle devrait arriver très bientôt », dit-il au curé. Il était un peu impatient, un peu nerveux et terriblement anxieux.

Alors que l'horloge de l'église sonnait trois heures, le curé se tourna vers lui.

"Je crains de ne pouvoir vous épouser aujourd'hui, M. Merrill", dit-il.

Frank était très pâle.

"Pourquoi pas?" » demanda-t-il rapidement. "Mlle Nuttall a probablement été retenue par la circulation ou par un pneu éclaté. Elle sera là très prochainement."

Le ministre secoua la tête et accrocha son surplis blanc dans le placard.

« La loi du pays, mon cher M. Merrill, dit-il, n'autorise pas les mariages après trois heures de l'après-midi. Vous pouvez venir demain matin à toute heure après huit heures.

On frappa à la porte et Frank se retourna. Ce n'était pas la fille, mais un télégraphiste. Il arracha l'enveloppe chamois des mains du garçon et la déchira. On y lisait simplement :

Le mariage ne peut avoir lieu.

Ce n'était pas signé.

À deux heures et quart de l'après-midi, May avait traversé le vestibule de l'hôtel, et son pied était sur la marche du taxi lorsqu'une main tomba sur son bras, et elle se tourna avec inquiétude pour rencontrer le regard scrutateur de Jasper Cole.

"Où vas-tu si pressé, May ?"

Elle rougit et retira son bras d'un geste décisif.

"Je n'ai rien à te dire, Jasper," dit-elle froidement. "Après votre horrible accusation contre Frank, je ne veux plus jamais vous parler."

Il grimaça un peu, puis sourit.

« Au moins, tu peux être poli avec un vieil ami, dit-il avec bonne humeur, et me dire où tu pars si pressé.

Doit-elle lui dire ? Un instant d'indécision, puis elle parla.

"Je vais épouser Frank Merrill", a-t-elle déclaré.

Il acquiesca.

"C'est ce que je pensais. Dans ce cas, je descends à l'église pour faire une scène."

Il a dit cela avec un sourire aux lèvres ; mais il n'y avait aucun doute sur la résolution qui se manifestait dans la poussée de sa mâchoire carrée.

"Que veux-tu dire?" dit-elle. "Ne sois pas absurde, Jasper. Ma décision est prise."

« Je veux dire, » dit-il doucement, « que j'ai la procuration de M. Minute pour agir en son nom, et que M. Minute se trouve être votre tuteur légal. En fait, vous êtes, ma chère May, plus ou moins d'une pupille, et vous ne pouvez pas vous marier avant l'âge de vingt et un ans sans le consentement de votre tuteur.

"J'aurai vingt et un ans la semaine prochaine", dit-elle avec défi.

"Alors," sourit l'autre, "attends la semaine prochaine avant de te marier. Il n'y a pas de précipitation très pressante."

"Vous m'avez imposé cette situation", dit la jeune fille avec chaleur, "et je pense que c'est très horrible de votre part. Je vais épouser Frank aujourd'hui."

« Dans ces circonstances, je dois descendre et interdire le mariage ; et lorsque notre pasteur demandera s'il y a une juste cause , je m'avancerai sur les rails, brandissant gaiement la procuration, et même le pasteur le plus endurci ne pourrait pas continuer. " Le visage de cet instrument juridique. C'est un mandamus, une mise en garde et toutes sortes de choses horribles. "

"Pourquoi fais-tu ça?" elle a demandé.

"Parce que je n'ai aucun désir que vous épousiez un homme qui est certainement un faussaire, et peut-être un meurtrier", dit calmement Jasper Cole.

"Je ne t'écouterai pas !" » a-t-elle pleuré et elle est montée dans le taxi qui attendait.

Sans un mot, Jasper la suivit.

"Vous ne pouvez pas me chasser", dit-il, "et de toute façon, je sais où vous allez, car vous étiez en train de donner des indications au chauffeur lorsque je me tenais derrière vous. Vous feriez mieux de me laisser partir avec vous. J'aime le banlieue."

Elle se tourna et lui fit face rapidement.

« Et les loyers de Silver ? » elle a demandé.

Il est devenu un peu plus pâle.

"Que savez-vous de Silvers Rents ?" » demanda-t-il en se reprenant avec effort.

Elle n'a pas répondu.

Le taxi était à mi-chemin de sa destination lorsque la jeune fille reprit la parole :

"Es-tu sérieux quand tu dis que tu vas interdire le mariage ?"

"Très sérieux", répondit-il; "à tel point que je ferai venir un policier pour qu'il soit témoin de mon acte."

La jeune fille était presque en larmes.

« C'est monstrueux de votre part ! Oncle ne… »

"Ne ferais-tu pas mieux de voir ton oncle ?" Il a demandé.

Quelque chose lui disait qu'il tiendrait parole. Elle avait horreur des scènes et, surtout, elle redoutait la rencontre des deux hommes dans ces circonstances. Soudain, elle se pencha en avant et frappa à la vitre, et le taxi ralentit.

— Dites -lui de revenir appeler le bureau télégraphique le plus proche. Je veux lui envoyer un télégramme.

"Si c'est à M. Frank Merrill," dit doucement Jasper, "vous pouvez vous épargner des ennuis. J'ai déjà télégraphié."

Frank revint à Londres dans une fureur pardonnable. Il s'est rendu directement à l'hôtel et a appris que la jeune fille était repartie avec son oncle. Il a regardé sa montre. Il avait encore du travail à la banque, même s'il avait peu d'appétit pour le travail.

C'est pourtant à la banque qu'il s'est rendu. Il jeta un coup d'œil par-dessus le comptoir vers la table et la chaise où il était assis depuis si longtemps et sur laquelle il était destiné à ne plus jamais s'asseoir, car alors qu'il passait derrière le comptoir, M. Brandon le rencontra.

"Votre oncle souhaite vous voir, M. Merrill," dit-il gravement.

Frank hésita, puis entra dans le bureau, fermant la porte derrière lui, et il remarqua que M. Brandon n'essayait pas de le suivre.

John Minute s'assit dans l'unique fauteuil et leva lourdement les yeux lorsque Frank entra.

"Asseyez-vous, Frank," dit-il. "J'ai beaucoup de choses à te demander."

"Et j'ai une ou deux choses à te demander, mon oncle," dit calmement Frank.

"Si c'est vers le mois de mai, vous pouvez vous épargner cette peine", dit l'autre. "S'il s'agit de M. Rex Holland, je peux vous donner quelques informations."

Frank le regardait fixement.

"Je ne comprends pas très bien ce que vous voulez dire, monsieur", dit-il, "même si je suppose qu'il y a quelque chose d'offensant derrière ce que vous avez dit."

John Minute se retourna sur la chaise et passa une jambe sur son bras rembourré.

"Frank," dit-il, "je veux que tu sois parfaitement honnête avec moi, et je le serai tout aussi parfaitement avec toi."

Le jeune homme ne répondit rien.

"Certains faits ont été portés à mon attention, qui ne laissent aucun doute dans mon esprit quant à l'identité du présumé M. Rex Holland", dit lentement John Minute. "Je n'aime pas dire cela, parce que je t'ai aimé, Frank, même si je me suis parfois mis en travers de ton chemin et que nous ne sommes pas d'accord ensemble. Maintenant, je veux que tu viennes à Eastbourne demain et que tu aies une conversation à cœur ouvert avec moi.

"Qu'est-ce que tu espères que je puisse te dire ?" » demanda doucement Frank.

"Je veux que vous me disiez la vérité. J'espère que vous ne le ferez pas", a déclaré John Minute.

Un demi-sourire joua pendant une seconde sur les lèvres de Frank.

"En tout cas," dit-il, "vous êtes honnête avec moi. Je ne sais pas exactement où vous voulez en venir, mon oncle, mais je comprends que c'est quelque chose d'assez désagréable, et que quelque part dans le fond, il y a un plan. " Une accusation contre moi. Du fait que vous avez mentionné M. Rex Holland ou le gang qui portait ce nom, je suppose que vous suggérez que je suis un complice de ce monsieur. "

"Je suggère plus que cela", dit rapidement l'autre. "Je suggère que vous êtes Rex Holland."

Frank éclata de rire.

"Il n'y a pas de quoi rire", dit sévèrement John Minute.

"De votre point de vue , ce n'est pas le cas", a déclaré Frank, "mais de mon point de vue, cela a certains aspects humoristiques et, malheureusement, je suis maudit par le sens de l'humour. Je ne sais pas comment aborder le sujet ici." — il regarda autour de lui — « car même si c'est le moment, ce n'est certainement pas l'endroit, et je pense que j'accepterai votre invitation et descendrai à Weald Lodge demain soir. Je suppose que vous ne voulez pas voyager. à bas un maître criminel qui pourrait à tout moment prendre votre montre et votre chaîne.

"J'aimerais que vous examiniez cette question plus sérieusement, Frank", a déclaré John Minute avec sérieux. "Je veux découvrir la vérité, et toute vérité qui vous exonère sera la bienvenue chez moi."

Frank hocha la tête.

"Je vous en attribue le mérite", a-t-il déclaré. " Vous pouvez m'attendre demain. Puis-je vous demander, comme une faveur personnelle, de ne pas discuter de cette affaire avec moi en présence de votre admirable secrétaire ? J'ai le sentiment au fond de moi qu'il est au fond de moi. " N'oubliez pas qu'il est aussi susceptible de connaître Rex Holland que moi.

"Il y a eu un audit à la banque", a poursuivi Frank, "et je ne suis pas stupide au point de ne pas comprendre ce que cela signifie. Il y a aussi eu une certaine froideur dans l'attitude de Brandon, et j'ai intercepté regards soupçonneux et significatifs de la part des commis. Je ne serai donc pas surpris si vous me dites que mes livres ne sont pas en ordre. Mais je vous signale encore une fois qu'il est tout aussi possible pour Jasper, qui a accès aux banque à toute heure du jour et de la nuit, pour les avoir modifiés comme c'est le cas pour moi.

"Je m'empresse d'ajouter," dit-il avec un sourire, "que je n'accuse pas Jasper. C'est une telle machine, et je ne peux pas l'imaginer capable de faire autant d'initiative que de falsifier systématiquement des chèques et de falsifier des registres. Je me contente de mentionne Jasper parce que je tiens à souligner l'injustice de mettre un homme sous soupçon à moins d'avoir la preuve la plus solide et la plus convaincante de sa culpabilité. Déclarer mon innocence est inutile de mon point de vue, et probablement du vôtre aussi ; mais je déclare à vous, oncle John, que je n'en sais pas plus que vous sur cette affaire.

Il se tenait appuyé sur le bureau et regardait son oncle ; et John Minute, avec toute son expérience des hommes et malgré tous ses soupçons, n'éprouvait qu'un pincement au cœur. Mais cela ne devait pas durer longtemps.

"Je vous attends demain", dit-il.

Frank hocha la tête, sortit de la pièce et sortit de la banque, et vingt-quatre paires d'yeux spéculatifs le suivirent.

Quelques heures plus tard, une autre scène curieuse se déroulait, cette fois près de la ville d'East Grinstead . Il y a un tronçon de route solitaire traversant une lande, qui est appelé, pour une raison quelconque, Ashdown Forest. Une voiture était garée sur un morceau de gazon au bord de la lande. Son propriétaire était assis dans une petite clairière, hors de vue de la route, sirotant une tasse de thé que son chauffeur lui avait préparé. Il termina cela et regarda son serviteur prendre le panier.

"Reviens-moi quand tu auras fini", dit-il.

L'homme toucha son chapeau et disparut avec le paquet, mais revint quelques minutes plus tard.

"Asseyez-vous, Feltham ", a déclaré M. Rex Holland. "J'ose dire que vous pensez que c'était plutôt étrange de ma part de vous donner cette petite commission l'autre jour", a déclaré M. Holland en croisant les jambes et en s'appuyant contre un arbre.

Le chauffeur eut un sourire gêné.

"Oui, monsieur, je l'ai fait", dit-il brièvement.

"Es-tu satisfait de ce que je t'ai donné ?" demanda l'homme.

Le chauffeur traînait les pieds avec inquiétude.

"Très satisfait, monsieur", dit-il.

"Tu as l'air un peu désemparé, Feltham ; je veux dire, un peu contrarié par quelque chose. Qu'est-ce qu'il y a ?"

L'homme toussa avec une confusion embarrassée.

"Eh bien, monsieur", commença-t-il, "le fait est que je n'aime pas ça."

"Tu n'aimes pas quoi ? Les cinq cents livres que je t'ai donné ?"

"Non, monsieur. Ce n'est pas cela, mais c'était une chose étrange de me demander de faire : faire semblant d'être vous et envoyer un commissionnaire à la banque pour votre argent, puis sortir de Londres dans un petit trou tranquille comme Bilstead ."

" Alors tu penses que c'était bizarre ? "

Le chauffeur hocha la tête.

"Le fait est, monsieur," lâcha-t-il, "j'ai vu les journaux."

L'autre acquiesça pensivement.

"Je suppose que vous parlez des journaux. Et qu'y a-t-il dans les journaux qui vous intéresse ?"

M. Holland sortit de sa poche un étui en or, l'ouvrit nonchalamment et choisit une cigarette. Il était en train de la fermer lorsqu'il croisa le regard du chauffeur et lui lança une cigarette.

"Merci, monsieur", dit l'homme.

"Qu'est-ce que tu n'as pas aimé ?" » demanda encore M. Holland en passant une allumette.

"Eh bien, monsieur, j'ai été dans toutes sortes d'endroits étranges", dit Feltham avec obstination, tout en tirant une bouffée de cigarette, "mais j'ai toujours réussi à me tenir à l'écart de tout, c'est drôle. Vous voyez ce que je veux dire ?"

"Par drôle, je suppose que vous ne voulez pas dire comique", dit joyeusement M. Rex Holland. "Tu veux dire malhonnête, je suppose ?"

"C'est vrai, monsieur, et il ne fait aucun doute que j'ai été victime d'une escroquerie, et cela m'inquiète, cette affaire de faux bancaire. Eh bien, j'ai lu ma propre description dans le journal !"

Des gouttes de sueur perlaient sur le front du petit homme et sa bouche était pathétiquement tombante.

"C'est une distinction qui n'appartient qu'à peu d'entre nous", a déclaré suavement son employeur. "Vous devriez vous sentir très honoré. Et qu'allez-vous faire à ce sujet, Feltham ?"

L'homme regardait à gauche et à droite comme s'il cherchait un ami dans le besoin qui lui apporterait des conseils tout faits.

« La seule chose que je puisse faire, monsieur, dit-il, c'est de me rendre.

"Et abandonnez-moi aussi", dit l'autre avec un petit rire. "Oh, non, mon cher Feltham . Écoutez, je vais vous dire quelque chose. Il y a quelques semaines, j'avais un voiturier très prometteur, tout comme vous. C'était un homme admirable, et il était aussi étranger. Je crois que c'était un Suédois. Il est venu me voir exactement dans les mêmes circonstances que vous et il a reçu exactement les mêmes instructions que vous avez reçues, qu'il n'a malheureusement pas exécutées à la lettre. Je l'ai surpris en train de me voler quelques bibelots de rien. grande valeur — et, au lieu que cet insensé se repente, il a laissé échapper le seul fait que je ne souhaitais pas qu'il sache, et incidemment que je ne souhaitais que personne au monde sache.

"Il savait qui j'étais. Il m'avait vu dans le West End et avait découvert mon identité. Il a même demandé un entretien avec quelqu'un à qui il aurait été gênant de faire connaître mon caractère. J'ai promis de lui en trouver un autre. mais il avait déjà décidé de changer et avait découpé une annonce dans un journal. Je me suis séparé amicalement de lui, je lui ai souhaité bonne chance, et il est parti interviewer son éventuel employeur, en fumant une de mes cigarettes comme vous fumez... et il l'a jeté, je n'en doute pas, tout comme vous l'avez jeté quand il a commencé à avoir un goût un peu amer .

"Regarde ici!" » dit le chauffeur en se levant d'un coup. "Si vous essayez des tours de singe avec moi—"

M. Holland le regarda avec intérêt.

"Si vous essayez des tours de singe avec moi", dit le chauffeur d'une voix épaisse, "je vais..."

Il se pencha en avant et resta immobile.

M. Holland a attendu assez longtemps pour fouiller ses poches, puis, s'avançant prudemment sur la route, a enfilé la casquette et les lunettes de chauffeur et a mis sa voiture en marche rapidement vers le sud.

———

CHAPITRE X

UN MEURTRE

L'agent Wiseman vivait au sein de sa famille admirative dans un petit chalet sur Bexhill Road. Que « mon père était policier » était la fière vantardise de deux petits garçons, vantardise qui leur méritait un grand respect, car PC Wiseman était honoré non seulement dans son propre entourage mais dans tout le village dans lequel il habitait.

Il était avant tout un policier municipal, par opposition à un policier de comté, bien qu'il portait l'insigne et l'uniforme de la police du Sussex. On pensait qu'un policier municipal avait plus de points communs avec le crime, avait une plus vaste expérience et était par conséquent un conseiller plus utile qu'un homme dont les fonctions commençaient et se terminaient par la patrouille des routes de campagne et des villages respectueux de la loi où rien de plus excitant. qu'un combat de chiens occasionnel ou une accusation de braconnage ne servaient à combler l'interruption de la vie de la police.

L'agent Wiseman était considéré comme un homme astucieux, un homme à qui l'on pouvait soumettre les problèmes délicats qui parfois rendaient perplexes et confondaient l'esprit bucolique. Il avait réglé la question épineuse de savoir si un policier pouvait ou non entrer dans une maison où un homme battait sa femme, et avait décidé qu'une telle intrusion ne pouvait être commise que si la dame impliquée poussait des cris perçants de « Meurtre ! »

Il a ajouté de manière significative que le gendarme appelé doit être le gendarme de service et non un ornement de la force qui, par accident, résidait parmi eux.

Le problème de la poule égarée et de l'œuf pondu sur une propriété étrangère, la question de droit soulevée par la question de savoir quand un domestique doit donner un préavis et la date à partir de laquelle son préavis doit compter - toutes ces questions relevaient de la compétence de l'agent Wiseman. , et ont été résolus à la satisfaction de tous ceux qui ont apporté leurs petites obscurités pour résoudre.

Mais c'est dans son propre cercle familial que l'agent Wiseman - nommé à juste titre, comme tous en étaient d'accord - brillait d'un éclat presque éblouissant et était une source d'irritation pour les parents masculins du côté de sa femme, dont l'un était malheureusement venu à proximité. la maîtrise de la loi sur une affaire de lapin pris au piège et était par conséquent prédisposé à l'anarchie dans la mesure où l'abolition de l'ordre public affectait la police.

L'agent Wiseman prenait le thé un soir d'été, et autour de la nappe blanche impeccable qui recouvrait la table était regroupé tout ce que l'agent Wiseman pouvait légalement appeler le sien. Le thé était une fonction, et pour les plus jeunes membres de la famille, cela signifiait simplement du thé, du pain et du beurre. Pour l'agent Wiseman, cela signifiait un luxe de nature variée et coûteuse. Ses goûts allaient du rumsteck aux ballonnements de Yarmouth, et une fois qu'il avait introduit un mets étranger – étranger au village, qui n'avait jamais connu auparavant la raison de leur existence – les ris de veau.

La conversation, bien soutenue par M. Wiseman, était généralement celle de lui-même, sa femme se contentant de ponctuer son autobiographie de phrases encourageantes telles que : « Cher, cher ! "Eh bien, peu importe la suite !" les enfants ne font que demander à voix basse plus de nourriture. Ils le faisaient à intervalles réguliers et fréquents, mais à cause de leurs chuchotements, ils étaient censés ne pas être entendus.

L'agent Wiseman a parlé de lui-même parce qu'il ne connaissait rien de plus intéressant à dire. Sa conversation du soir prenait généralement la forme d'un résumé très complet de son expérience de la veille. Il laissa à sa femme l'impression – et elle était assez heureuse d'avoir une telle impression – qu'Eastbourne était une ville bien gérée, principalement grâce aux efforts incessants et infatigables de PC Wiseman.

"Je n'ai encore jamais eu d' indice que je n'ai jamais suivi jusqu'au bout", a déclaré l'agent de police lissant.

« Vous vous souvenez quand le verger de Raggett a été pillé : qui a trouvé les voleurs ?

"Vous l'avez fait, bien sûr; j'en suis sûre", a déclaré Mme Wiseman, en mettant son plus jeune sur ses genoux, le plus jeune n'ayant pas atteint l'âge où il reconnaissait la nécessité d'exprimer ses désirs à voix basse.

"Qui a attrapé ces hommes à trois cartes après les courses de Lewes l'année dernière ?" » poursuivit passionnément l'agent Wiseman. "Qui a reçu plus de convocations pour cheminées fumantes que n'importe quel autre homme de la police ? Certaines personnes", ajouta-t-il en se levant lourdement et en décrochant sa tunique accrochée au mur, "certaines personnes demandaient une promotion ; mais moi Je suis parfaitement satisfait. Je ne suis pas de ceux-là, ambitieux . Eh bien, je ne saurais pas du tout que faire de moi si on me nommait sergent.

"De toute façon, vous le méritez", a déclaré Mme Wiseman.

"Je ne mérite rien que je ne veux pas", a déclaré M. Wiseman avec hauteur. « J'ai aussi appris quelques choses, mais je n'ai jamais utilisé ce qui m'est venu officiellement pour me faire avancer. Vous entendrez quelque chose dans un jour ou deux, dit-il mystérieusement, et en haute voix. la vie aussi, d'une manière de parler, c'est-à-dire si l'on peut appeler la vieille vie de Minute, ce dont je doute fort.

"Tu ne le dis pas!" dit Mme Wiseman, à juste titre étonnée.

Son mari hocha la tête.

"Il y a des problèmes là-haut", dit-il. "D'après certaines informations que j'ai reçues, il y a eu une grosse dispute entre le jeune M. Merrill et le vieil homme, et les gens du CID ont été déprimés à ce sujet. De plus", a-t-il déclaré, "je pourrais dire une chose ou deux " J'ai vu ce garçon regarder le vieil homme comme s'il voulait le tuer. Vous ne le croiriez pas, n'est-ce pas, mais je sais, et cela n'est pas arrivé il y a si longtemps non plus. Il a toujours été je l'ai snobé lorsque le jeune Merrill était ici en tant que secrétaire, et je l'ai presque traité d'imbécile devant moi lorsque je lui ai signifié cette convocation pour avoir allumé ses lumières. Vous entendrez quelque chose un de ces jours.

L'agent Wiseman était un excellent prophète, aussi vague que soit sa prophétie.

Il quitta le chalet pour accomplir son devoir dans un état d'esprit complaisant, ce qui n'était pas inhabituel, car l'agent Wiseman était tout à fait satisfait de son sort. Sa complaisance dura jusqu'à sept heures du soir.

Il se trouve que l'agent Wiseman, tout comme tous les autres membres de la force en service cette nuit-là, avait beaucoup de choses à penser, des choses à la fois passionnantes et passionnantes. Avant le défilé du soir, on avait murmuré que le sergent Smith devait quitter les forces. On a parlé de son licenciement, mais il était clair qu'on lui avait donné la possibilité de démissionner, car il était toujours en service, ce qui n'aurait pas été le cas s'il avait été renvoyé de force.

L'attitude et l'attitude du sergent Smith avaient confirmé la rumeur. Personne n'a été surpris, puisque cet officier austère avait déjà eu des ennuis. Il s'était présenté deux fois devant le chef de la police adjoint pour négligence et ivresse pendant l'exercice de ses fonctions. Dans les occasions précédentes, il avait connu des évasions remarquables. Certains parlaient d'influence, mais il est plus probable que le passé de cet homme l'ait aidé, car c'était un policier de premier ordre, flairé pour le crime, absolument intrépide, et qui avait en outre contribué à la capture d'un ou deux très des criminels désespérés qui s'étaient dirigés vers la ville de la côte sud.

Sa dernière offense, cependant, était trop grave pour être ignorée. Son inspecteur, qui faisait le tour, l'avait manqué et, après une perquisition, il fut découvert devant un pub. Ce n'est pas un grand crime de se trouver à l'extérieur d'un pub, surtout lorsqu'un officier a une zone assez étendue à couvrir, et à cet égard , il était bien dans les limites de cette zone. Mais il faut expliquer que si le sergent se trouvait à l'extérieur du pub, c'était parce qu'il avait défié un camarade de fête à se battre, et au moment où on l'a découvert, il était torse nu et se mettait à sa tâche avec une rare habileté professionnelle.

Il était également ivre.

Avoir retenu ses services par la suite n'aurait été guère moins qu'un cri de scandale. Il ne fait cependant aucun doute que le sergent Smith avait tenté désespérément d'utiliser l'influence qui se trouvait derrière lui et de l'utiliser au maximum.

Il avait eu une entrevue orageuse avec John Minute et en avait prévu une autre. L'agent Wiseman, patrouillant sur London Road, l'esprit rempli de la bonne nouvelle, fut soudainement confronté à l'objet de ses pensées. Le sergent s'est avancé à cheval jusqu'à l'endroit où le constable se tenait dans une attitude professionnelle, à l'angle de deux routes, et a sauté à la manière d'un homme qui a un objet en vue.

« Wiseman, » dit-il – et sa voix était telle qu'il suggérait qu'il avait encore bu – « où serez-vous à dix heures ce soir ?

L'agent Wiseman leva les yeux, pensive.

— A dix heures, sergent, je serai devant les portes du cimetière.

Le sergent regarda à gauche et à droite.

"Je vais voir M. Minute pour une question d'affaires", dit-il, "et vous n'avez pas besoin de mentionner le fait."

«Je reste seul», a commencé l'agent Wiseman. "Ce que je vois d'un œil sort de l'autre, pour ainsi dire..."

Le sergent hocha la tête, enfourcha de nouveau son vélo, fit demi-tour et descendit à toute vitesse la douce pente en direction de Weald Lodge. Il ne cacha pas sa visite, mais franchit à cheval les larges portes, remonta l'allée de gravier qui menait devant la maison, sonna et, au domestique qui répondit, demanda péremptoirement à voir M. Minute.

John Minute le reçut dans la bibliothèque, où avaient eu lieu les précédents entretiens. Minute attendit que le domestique soit parti et que la porte soit fermée, puis il dit :

"Maintenant, Crawley, cela n'a aucun sens de venir vers moi ; je ne peux rien faire pour toi."

Le sergent posa son casque sur la table, se dirigea vers un buffet où se trouvaient un plateau et une carafe et se versa une bonne dose de whisky sans invitation. John Minute le regardait sans grand ressentiment. Ce n'était pas un Eastbourne civilisé dans lequel ils vivaient. Ils étaient de retour à l'époque libre et facile de Gwelo , où les hommes ne s'attendaient pas à être invités à boire.

Smith – ou Crawley, pour lui donner son vrai nom – jeta un demi-verre de whisky pur et se retourna, essuyant sa lourde moustache du revers de la main.

" Alors tu ne peux rien faire, n'est-ce pas ? " il a imité. "Eh bien, je vais vous montrer que vous pouvez le faire, et que vous le ferez !"

Il leva la main pour vérifier les mots sur les lèvres de John Minute.

"Cela n'a aucun sens de me faire des reproches aussi durs que de pouvoir m'envoyer en prison, parce que vous ne le feriez pas. Cela ne convient pas à votre livre, John Minute, d'aller au tribunal et de témoigner contre moi. ... Trop de choses ressortiraient à la barre des témoins, et vous le savez bien : d'ailleurs, la Rhodésie est loin !

" Je connais un endroit qui n'est pas si éloigné, " dit l'autre en levant les yeux de sa chaise, " un endroit appelé Felixstowe , par exemple. Il y a un autre endroit appelé Cromer. J'ai été en consultation avec un monsieur que vous pouvez dont j'ai entendu parler, un M. Saul Arthur Mann.

"Saul Arthur Mann", répéta lentement l'autre. "Je n'ai jamais entendu parler de lui."

"Vous ne le feriez pas, mais il a entendu parler de vous", dit calmement John Minute. "Le fait est, Crawley, qu'il y a un très mauvais bilan contre vous, entre vos crimes graves en Rhodésie et votre chantage d'aujourd'hui. J'ai quelques faits sur vous qui vous intéresseront. Je connais la date à laquelle vous êtes venu ici. pays, que je ne connaissais pas auparavant, et je sais comment vous gagniez votre vie jusqu'à ce que vous me trouviez. Je connais quelques actions dans une mine rhodésienne inexistante que vous avez vendues à un gentleman débile d'esprit à Cromer, et à un dame, également débile d'esprit, à Felixstowe . J'ai non seulement les actions que vous avez vendues, avec votre signature en tant qu'administrateur, mais j'ai des lettres et des reçus signés par vous. Cela m'a coûté beaucoup d'argent pour les obtenir, Mais cela en valait la peine."

Le visage de Crawley était livide. Il fit un pas vers l'autre, mais recula, car au premier signe de danger, John Minute avait sorti le revolver qu'il portait invariablement.

« Reste où tu es, Crawley ! il a dit. "Tu es suffisamment proche maintenant pour être désagréable."

" Alors tu as mon dossier, n'est-ce pas ? " » dit l'autre en jurant. « Caché avec tes lignes de mariage, je parie, et l'acte de naissance des enfants que tu as laissés mourir de faim avec leur mère.

"Sors d'ici!" » dit Minute avec un silence dangereux. « Partez pendant que vous êtes en sécurité ! »

Il y avait quelque chose dans son regard qui intimida l'homme à moitié ivre qui, se retournant en riant, ramassa son casque et quitta la pièce.

Il était sept heures trente-cinq selon la montre du gendarme Wiseman ; car, patrouillant lentement en arrière, il vit le sergent sortir du portail sur sa bicyclette et se diriger vers la ville. L'agent Wiseman a expliqué par la suite qu'il avait regardé sa montre parce qu'il avait un moment régulier où il devait rencontrer le sergent Smith à sept heures quarante-cinq et qu'il se demandait si son supérieur reviendrait.

La chronologie des trois heures suivantes a été si souvent donnée dans divers récits des événements qui ont marqué cette soirée, que je peux être excusé de la donner en détail.

Une voiture, blanche de poussière, s'est engagée dans la cour des écuries du Star Hotel, Maidstone . Le chauffeur, en blouse et casquette de chauffeur, est descendu et a remis la voiture à un garagiste avec pour instructions de la nettoyer et de la faire remplir pour lui le lendemain matin. Il a donné des instructions explicites quant au nombre de bidons d'essence qu'il devait toujours emporter avec lui et a donné un pourboire généreux au garagiste à l'avance.

Il a été décrit comme un jeune homme avec une légère moustache noire et il portait ses lunettes de protection lorsqu'il est entré dans le bureau de l'hôtel et a commandé un lit et un salon. On ne voyait donc pas son visage. Lorsque son dîner fut servi, le serveur remarqua que ses lunettes étaient toujours sur son visage. Il donna pour instructions que tout le dîner devait être servi en même temps et déposé sur le buffet, et qu'il ne voulait pas être dérangé avant d'avoir sonné la cloche.

Lorsque la cloche sonna, le serveur arriva et trouva la salle vide. Mais de la pièce voisine, il reçut l'ordre de prendre son petit déjeuner le lendemain matin à sept heures.

À sept heures, le conducteur de la voiture payait sa facture, ses grosses lunettes de moto toujours sur le visage, donnait de nouveau un généreux pourboire au garagiste et sortait de la cour avec sa voiture. Il a tourné à droite et semblait emprunter la London Road, mais plus tard dans la journée, comme cela a été établi, la voiture a été aperçue en route vers Paddock Wood, puis a été observée à Tonbridge . Le chauffeur s'est arrêté dans une petite maison de thé à 800 mètres de la ville, a commandé des sandwichs et du thé, qui lui ont été apportés et qu'il a consommés dans la voiture.

Tard dans l'après-midi, la voiture a été aperçue à Uckfield , et la théorie généralement répandue était que le conducteur tuait le temps. Au chalet au bord de la route où il s'est arrêté pour prendre le thé — c'était un de ces petits endroits qui invitent les cyclistes par un panneau mal imprimé à s'arrêter et à se rafraîchir — il a eu une conversation avec la locataire du chalet, une veuve. Elle semble avoir été l'âme loquace et amicale habituelle qui raconte sans réserve ses affaires, ses ennuis et un juste saupoudrage des nouvelles du jour dans le plus bref délai possible.

"Je n'ai pas vu de journal", a déclaré poliment Rex Holland. "C'est une chose très curieuse que je n'aie jamais pensé aux journaux."

"Je peux vous en procurer un", dit la femme avec empressement. "Vous devriez lire sur cette affaire."

« Le chauffeur mort ? » demanda Rex Holland avec intérêt, car c'était là le sujet d'actualité générale qui occupait la première place dans la conversation de la femme.

"Oui, monsieur ; il a été assassiné dans la forêt d'Ashdown. J'ai souvent conduit là-bas. "

"Comment sais-tu que c'était un meurtre ?"

Elle le savait pour plusieurs raisons. Son beau-frère était garde-chasse de Lord Ferring, et un de ses collègues avait été l'homme qui avait découvert le corps, et il était apparu, comme l'expliquait la bonne dame, que ce même chauffeur était un homme pour lequel la police avait fait l'objet de recherches liées à un vol de banque dont les journaux de la veille avaient fait grand cas.

"Comme c'est très intéressant !" » dit M. Holland, et il lui prit le papier des mains.

Il lut la description ligne par ligne. Il apprit que les policiers étaient en possession d' éléments d'écoute importants et qu'ils étaient sur la trace de l'homme aperçu en compagnie du chauffeur. Par ailleurs, dit un journaliste des plus indiscrets, la police disposait d'une photographie montrant le chauffeur debout à côté de sa voiture, et des reproductions de cette photographie, montrant le type d'engin, circulaient.

"Comme c'est très intéressant !" » dit encore M. Rex Holland, parfaitement content dans son esprit, car sa fouille du corps avait révélé des copies de cette photo identique, et la voiture dans laquelle il était assis n'était pas celle qui avait été photographiée. De ce point, à un mile et demi au-delà d'Uckfield , toute trace de la voiture et de son occupant a été perdue.

L'auteur a pris grand soin de noter les heures exactes et de confirmer celles sur lesquelles il y avait un doute. À neuf heures vingt, la nuit où l'agent Wiseman patrouillait sur la route devant Weald Lodge et avait vu le sergent Smith voler sur sa bicyclette sur la route, et la nuit du même jour, lorsque M. Rex Holland avait été aperçu à Uckfield , il arriva par le train de Londres, qui arrive à Eastbourne à neuf heures vingt, Frank Merrill. En fait, le train avait trois minutes de retard, et Frank, qui se trouvait dans la dernière partie du train, fut l'un des derniers passagers à arriver à la barrière.

Lorsqu'il atteignit la barrière, il découvrit qu'il n'avait pas de billet de chemin de fer, expérience très ordinaire et vexatoire que les voyageurs ont déjà enduré. Il fouilla dans toutes les poches, y compris celle de l'ulster léger qu'il portait, mais sans succès. Il était vexé, mais il riait parce qu'il avait un grand sens de l'humour.

"Je pourrais payer mon billet", sourit-il, "mais je serai pendu si je le veux ! Inspecteur, fouillez ce pardessus."

L'inspecteur amusé s'exécuta tandis que Frank fouillait à nouveau toutes ses poches. A sa demande, il accompagna l'inspecteur au bureau de celui-ci, et y déposa sur la table le contenu de ses poches, son argent, ses lettres et son portefeuille.

"Vous avez l'habitude de fouiller les gens", dit-il. "Voyez si vous pouvez le trouver. Je jurerais que je l'ai sur moi quelque part."

L'obligeant inspecteur tâta, sonda, mais sans succès, jusqu'à ce que tout à coup, avec un éclat de rire, Frank s'écrie :

"Quel connard je suis ! Je l'ai dans mon chapeau !"

Il ôta son chapeau et, dans la doublure, se trouvait un billet de première classe de Londres à Eastbourne.

Il est nécessaire d'insister particulièrement sur cet incident, qui a eu une influence importante sur les événements ultérieurs. Il a appelé un taxi, s'est rendu à Weald Lodge et a renvoyé le chauffeur en cours de route. Il est arrivé à Weald Lodge, d'après le témoignage du chauffeur et celui de l'agent Wiseman, que la voiture avait dépassé, vers neuf heures quarante.

M. John Minute était alors seul ; sa nature méfiante ne permettait pas la présence de domestiques dans la maison lors de l'entretien qu'il devait avoir avec son neveu. Il considérait les domestiques comme des espions et des espions, et il y avait peut-être une excuse à son point de vue peu charitable.

À neuf heures cinquante, dix minutes après que Frank eut franchi les portes de Weald Lodge, une voiture aux phares brillants arriva rapidement dans la direction opposée et s'arrêta devant les portes. PC Wiseman, qui se trouvait en ce moment à moins de cinquante mètres de la porte, vit un homme descendre et passer rapidement dans le parc de la maison.

À neuf heures cinquante-deux ou neuf heures cinquante-trois, le connétable, marchant lentement vers la maison, arriva près du mur et, levant les yeux, aperçut un instant un éclair lumineux à l'une des fenêtres supérieures. A peine avait-il vu cela qu'il entendit deux coups de feu coup sur coup et un cri.

PC Wiseman n'hésita qu'un instant. Il sauta le muret, traversa les buissons et se dirigea vers le côté de la maison d'où tombait un flot de lumière par les portes-fenêtres ouvertes de la bibliothèque. Il entra dans la pièce d'un pas ou deux, puis s'arrêta, car le spectacle était de nature à arrêter même un homme sans imagination comme un agent de police du comté.

John Minute gisait par terre sur le dos, et il n'avait pas besoin d'un médecin pour dire qu'il était mort. A ses côtés, et presque à portée de sa main, se trouvait un revolver de type militaire très lourd. Machinalement, le constable ramassa le revolver et tourna son visage sévère vers l'autre occupant de la pièce.

"C'est une mauvaise affaire, M. Merrill," dit-il à nouveau.

Frank Merrill s'était penché sur son oncle lorsque le constable était entré, mais il se tenait maintenant droit, pâle, mais parfaitement maître de lui.

"J'ai entendu le coup de feu et je suis entré", a-t-il déclaré.

« Restez où vous êtes », dit le constable, et, sortant rapidement sur la pelouse, il siffla longuement et perçant, puis revint dans la pièce.

"C'est une mauvaise affaire, M. Merrill", répéta-t-il.

"C'est une très mauvaise affaire", dit l'autre à voix basse.

« Est-ce que ce revolver est à vous ?

Frank secoua la tête.

"Je ne l'ai jamais vu auparavant", a-t-il déclaré avec emphase.

Le constable réfléchissait aussi vite qu'il lui était humainement possible de penser. Il n'avait aucun doute sur le fait que ce malheureux jeune homme avait tiré les coups de feu qui avaient coûté la vie à l'homme à terre.

"Reste ici", répéta-t-il, et il sortit de nouveau pour siffler. Il marcha cette fois sur la pelouse au bord de l'allée en direction de la route. Il n'avait pas fait une demi-douzaine de pas lorsqu'il aperçut la silhouette sombre d'un homme qui rampait furtivement devant lui à l'ombre des buissons. En une seconde, le gendarme était sur lui, l'avait saisi et l'avait fait pivoter, pointant sa lanterne vers le visage de son prisonnier. Instantanément, il relâcha son emprise.

"Je vous demande pardon, sergent", balbutia-t-il.

"Quel est le problème?" » fronça l'autre. "Qu'est-ce qui ne va pas chez vous, gendarme ?"

Le visage du sergent Smith était tiré et hagard. Le policier le regarda avec étonnement, bouche bée.

"Je ne savais pas que c'était toi", dit-il.

"Qu'est-ce qui ne va pas?" » demanda encore l'autre, et sa voix était cassée et peu naturelle.

"Il y a eu un meurtre, un vieux Minute, par balle !"

Le sergent Smith recula d'un pas.

"Bon dieu!" il a dit. "Minute assassiné ? Puis il l'a fait ! Le jeune diable l'a fait !"

"Viens jeter un oeil", invita Wiseman en retrouvant son équilibre. "J'ai son neveu."

"Non, non ! Je ne veux pas voir John Minute mort ! Retournez. J'amènerai un autre agent de police et un médecin."

Il a trébuché aveuglément dans l'allée menant à la route, et l'agent Wiseman est retourné à la maison. Frank était là où il l'avait laissé, sauf qu'il s'était assis et regardait fixement le mort. Il leva les yeux lorsque le policier entra.

"Qu'avez-vous fait?" Il a demandé.

"Le sergent est allé chercher un médecin et un autre agent de police", dit gravement Wiseman.

"Je crains qu'il ne soit trop tard", a déclaré Frank. "Il est... Qu'est-ce que c'est ?"

Il y eut un martèlement lointain et une voix faible appelant à l'aide.

"Qu'est ce que c'est?" murmura encore Frank.

L'agent a franchi la porte ouverte jusqu'au pied de l'escalier et a écouté. Le bruit venait de l'étage supérieur. Il courut à l'étage, en montant deux à la fois, et localisa bientôt le bruit. Cela venait d'une pièce au fond et quelqu'un martelait les panneaux. La porte était verrouillée, mais la clé avait été laissée dans la serrure, et l'agent Wiseman se retourna, inondant de lumière l'intérieur sombre.

"Sortir!" dit-il, et Jasper Cole sortit en chancelant, hébété et tremblant.

"Quelqu'un m'a frappé à la tête avec un sac de sable", dit-il d'une voix épaisse. "J'ai entendu le coup de feu. Que s'est-il passé ?"

"M. Minute a été tué", a déclaré le policier.

"Tué!" Il retomba contre le mur, le visage crispé. "Tué!" Il a répété. "Pas tué !"

Le constable hocha la tête. Il avait trouvé l'interrupteur électrique et le passage était éclairé.

Bientôt, le jeune homme maîtrisa son émotion.

"Où est-il?" » a-t-il demandé, et Wiseman a ouvert la voie en bas.

Jasper Cole entra dans la pièce sans un regard pour Frank et se pencha sur le mort. Il le regarda longuement avec attention , puis il se tourna vers Frank.

"Vous l'avez fait!" il a dit. "J'ai entendu ta voix et les coups de feu ! Je t'ai entendu le menacer !"

Frank n'a rien dit. Il se contentait de fixer l'autre, et dans ses yeux il y avait un regard d'un mépris infini.

CHAPITRE XI

L'AFFAIRE CONTRE FRANK MERRILL

M. Saul Arthur Mann se tenait près de la fenêtre de son bureau et regardait d'un air maussade le trafic qui montait et descendait cette rue animée de la ville à l'heure la plus chargée de la journée. Il resta là si longtemps que la jeune fille qui avait sollicité son aide crut qu'il avait dû l'oublier.

May était pâle et sa pâleur était soulignée par la robe noire qu'elle portait. Le terrible événement d'une semaine auparavant lui avait laissé son impression. Pour elle, cela avait été une semaine de nuits blanches, une semaine d'angoisse mentale indescriptible. Tout le monde avait été très gentil et Jasper était aussi doux qu'une femme. L'influence qu'il exerçait sur elle était telle qu'elle n'éprouvait aucun ressentiment contre lui, même si elle savait qu'il était le principal témoin de la couronne. Il était si sincère, si honnête dans sa sympathie, se dit-elle.

Il était si libre de toute amertume envers l'homme qui, selon lui, avait tué son meilleur ami et son plus généreux employeur qu'elle ne pouvait supporter le premier sentiment de ressentiment qu'elle avait ressenti. Peut-être était-ce parce que son grand chagrin éclipsait toutes les autres émotions ; Pourtant, elle était libre d'analyser son amitié avec l'homme qui travaillait jour et nuit pour envoyer l'homme qui l'aimait au destin criminel. Elle ne pouvait pas se comprendre ; Elle pouvait encore moins comprendre Jasper.

Elle leva de nouveau les yeux vers M. Mann alors qu'il se tenait près de la fenêtre, les mains jointes derrière lui ; et ce faisant, il se tourna lentement et revint là où elle était assise. Son visage habituellement joyeux était lugubre et inquiet.

"J'ai réfléchi davantage à cette question qu'à tout autre problème que j'ai abordé", a-t-il déclaré. "Je crois que M. Merrill a été faussement accusé, et j'ai un ou deux points à faire valoir à ses avocats qui, lorsqu'ils seront présentés au tribunal, prouveront sans aucun doute qu'il était innocent. Je ne crois pas que Les choses sont si noires contre lui que vous le pensez. L'autre partie invoquera certainement la contrefaçon et les livres falsifiés pour fournir un mobile au meurtre. L'inspecteur Nash est en charge de l'affaire, et il a promis de venir ici à quatre heures du matin. horloge."

Il a regardé sa montre.

"Il lui faut trois minutes. Avez-vous une suggestion à proposer ?"

Elle secoua la tête.

"Je peux faire échouer l'accusation", a poursuivi M. Mann, "mais ce que je ne peux pas faire, c'est trouver le meurtrier avec certitude. Il s'agit évidemment de l'un des trois hommes. Il s'agit soit du sergent Crawley, alias Smith, dont les antécédents sont ceux de M. Minute a fait une enquête, ou Jasper Cole, le secrétaire, ou… »

Il haussa les épaules.

Il n'était pas nécessaire de préciser qui était le troisième suspect.

On frappa à la porte et l'employé annonça l'inspecteur Nash. Cet officier robuste et stoïque a fait un signe de tête évasif à M. Mann et une reconnaissance souriante à la jeune fille.

"Eh bien, vous savez où en sont les choses, inspecteur," dit vivement M. Mann, "et j'ai pensé que je vous demanderais de venir ici aujourd'hui pour mettre certaines choses au clair."

« C'est plutôt irrégulier, M. Mann, » dit l'inspecteur, « mais comme ils n'ont aucune objection au quartier général, cela ne me dérange pas de vous dire, dans certaines limites, tout ce que je sais ; mais je ne pense pas pouvoir le faire. je ne vous en dirai pas plus que ce que vous avez découvert par vous-même. »

"Pensez-vous vraiment que M. Merrill a commis ce crime ?" demanda la jeune fille.

L'inspecteur haussa les sourcils et pinça les lèvres.

"Cela ressemble inhabituellement à cela, mademoiselle", dit-il. "Nous avons des preuves que la banque a été cambriolée, et il est presque certainement prouvé que Merrill avait accès aux livres comptables et qu'il était la seule personne dans la banque qui aurait pu falsifier les chiffres et transférer l'argent d'un compte à un autre sans être retrouvée. Il reste encore un ou deux points douteux à éclaircir, mais il y a le mobile, et quand vous avez le mobile, vous êtes en trois étapes sur la voie de la recherche du criminel. Ce n'est en aucun cas une affaire simple. Cela veut dire, a-t-il avoué, et plus j'y approfondis, plus je suis perplexe. Cela ne me dérange pas de vous le dire franchement : j'ai vu l'agent Wiseman, qui jure qu'au moment où les coups de feu ont été tirés, il a vu une lumière éclair dans la fenêtre supérieure. Nous avons la déclaration de M. Cole selon laquelle il était dans sa chambre, son employeur lui ayant demandé de se cacher lorsque le neveu est arrivé, et il nous raconte comment quelqu'un a ouvert la porte doucement et a allumé un flash électrique. torche sur lui."

« Que faisait Cole dans le noir ? » demanda rapidement Mann.

"Il avait mal à la tête et était allongé", a expliqué l'inspecteur. "Quand il a vu la lumière , il a bondi et s'est dirigé vers elle, et a été immédiatement frappé; la porte s'est refermée sur lui et a été verrouillée. Entre le moment où il a quitté le lit et atteint la porte, il a entendu la voix de M. Merrill menaçant son oncle, et les coups de feu. ... Immédiatement après, il fut rendu insensible.

"Une curieuse histoire", dit sèchement Saul Arthur Mann. "Une histoire très curieuse !"

La jeune fille ressentit un désir inexplicable et tout à fait étonnant de défendre Jasper contre les insinuations dans le ton de l'autre, et ce fut avec difficulté qu'elle se retint.

"Je ne pense pas que ce soit une bonne histoire", dit franchement l'inspecteur ; " mais c'est entre nous. Et puis, bien sûr, " continua-t-il, " nous avons le comportement remarquable du sergent Smith. "

"Où est-il?" » a demandé M. Mann.

L'inspecteur haussa les épaules.

"Le sergent Smith a disparu", dit-il, "même si j'ose dire que nous le retrouverons d'ici peu. Il n'est qu'un seul; l'élément le plus déroutant de tous est le quatrième homme concerné, l'homme qui est arrivé dans l'automobile et qui était évidemment M. Rex Holland. Nous avons une description très complète de lui.

« J'ai aussi une description très complète de lui, » dit doucement M. Mann ; "mais je n'ai pu l'identifier avec aucune des personnes figurant dans mes dossiers."

"De toute façon, c'était sa voiture, cela ne fait aucun doute."

"Et c'était lui le meurtrier", a déclaré M. Mann. "Je n'en doute pas, et toi non plus."

"J'ai des doutes sur tout", répondit diplomatiquement l'inspecteur.

"Qu'y avait-il dans la voiture ?" » demanda vivement le petit homme. Il retrouvait rapidement sa bonne humeur.

"J'ai bien peur de ne pouvoir vous le dire ", sourit le détective.

"Alors je vais vous le dire ", dit Saul Arthur Mann et, s'approchant de son bureau, il sortit un mémorandum d'un tiroir. "Il y avait deux tapis de moto, deux manteaux hollandais, un blanc, un marron. Il y avait deux paires de lunettes de moto. Il y avait un paquet de cartouches de revolver, dont six avaient été extraites, un étui de revolver en cuir, une petite truelle de jardin, et une ou deux autres petites choses.

L'inspecteur Nash jura doucement dans sa barbe.

"Je suis béni si je sais comment tu as découvert tout ça", dit-il avec un peu d'aspérité dans la voix. "La voiture n'a pas été touchée ni fouillée jusqu'à notre arrivée sur les lieux et, à part moi et le sergent Mannering de mon service, personne ne sait ce que contenait la voiture."

Saul Arthur Mann sourit, et c'était un sourire très heureux et triomphant.

"Tu vois, je sais!" ronronna-t-il. "C'est un point en faveur de Merrill."

"Oui", acquiesça le détective en souriant.

"Pourquoi souriez-vous, M. Nash ?" » demanda le petit homme avec méfiance.

"Je pensais à un policier du comté qui semble avoir des théories extraordinaires sur le sujet."

"Oh, tu veux dire Wiseman", dit Mann avec un sourire. "J'ai interviewé ce monsieur. Il y a un grand détective perdu en lui, inspecteur."

"C'est perdu, d'accord", dit laconiquement le détective. " Wiseman est très certain que Merrill a commis le crime, et je pense que vous aurez du mal à convaincre un jury qu'il ne l'a pas fait. Vous voyez, l'histoire de Merrill est qu'il est venu et a vu son oncle, qu'ils avaient quelques minutes " Nous avons discuté ensemble, que son oncle a soudainement eu une crise de malaise et qu'il est sorti de la pièce dans la salle à manger pour prendre un verre d'eau. Pendant que Merrill était dans la salle à manger, il a entendu les coups de feu et est revenu en courant. toujours avec le verre à la main, et j'ai vu son oncle étendu par terre. J'ai vu le verre qui était à moitié plein.

"J'étais également là à temps pour examiner la salle à manger et constater que M. Merrill avait renversé un peu d'eau lorsqu'il la prenait de la carafe. Toute cette partie de l'histoire est circonstanciellement fondée. Ce que nous ne pouvons pas comprendre, et ce qu'un jury ne comprendra jamais comment, en très peu de temps, le meurtrier a pu pénétrer dans la pièce et s'enfuir à nouveau.

"Les portes-fenêtres étaient ouvertes", a déclaré M. Mann. "Toutes les preuves dont nous disposons vont dans ce sens, y compris celles de PC Wiseman."

" Dans ces conditions, comment se fait-il que le connétable, qui, en entendant le coup de feu, se soit dirigé droit vers la chambre, n'ait pas rencontré l'assassin qui s'enfuyait ? Il n'a vu personne dans le parc... "

"Sauf le sergent Smith ou Crawley", intervint volontiers Saul Arthur Mann. "J'ai des raisons de croire, et en fait des raisons de savoir, que le sergent

Smith, ou Crawley, avait un motif pour se trouver dans la maison. J'ai fourni à M. Minute, qui était un de mes clients, certains documents, et ceux-ci. " Les documents étaient dans un coffre-fort dans sa chambre. Quoi de plus probable que ce Crawley, pour qui il était vital que les documents en question soient récupérés, soit entré dans la maison à la recherche de ces documents ? Cela ne me dérange pas de le dire. vous qu'ils se rapportaient à une fraude dont il était l'auteur, et qu'ils étaient à eux seuls toute la preuve dont la police aurait besoin pour obtenir une condamnation contre lui. C'était évidemment l'homme qui a frappé M. Cole, et dont la lumière a été révélée. Le gendarme a vu un clignotement dans la fenêtre supérieure.

"Dans ce cas, il ne peut pas être l'assassin", dit rapidement le détective, "car les coups de feu ont été tirés alors qu'il était encore dans la pièce. Ils ont été presque simultanés avec l'apparition du flash à la fenêtre supérieure."

"Hmm!" dit Saul Arthur Mann, pour le moment déconcerté.

"Plus on approfondit cette affaire, plus elle devient compliquée", a déclaré le policier en secouant la tête, "et à mon avis, plus le dossier contre Merrill est clair."

"Avec cette réserve", interrompit l'autre, "qu'il faut tenir compte des déplacements de M. Rex Holland, qui entre en scène dix minutes après l'arrivée de Frank Merrill et qui descend de sa voiture. Il quitte sa voiture pour une très excellente raison", a-t-il poursuivi. "Le sergent Smith, qui s'enfuit pour chercher de l'aide, rencontre deux hommes de la police du Sussex, qui se précipitent en réponse au coup de sifflet de Wiseman. L'un d'eux se tient près de la voiture et l'autre entre dans la maison. Il était donc impossible pour le meurtrier pour utiliser la voiture. Voici un autre point que je voudrais que vous expliquiez.

Il s'était hissé sur le bord de son bureau et s'était assis, une petite silhouette amusante, ses jambes balançant à un pied du sol.

"Le revolver utilisé était un gros Webley, chose difficile à transporter ou à cacher sur soi, et sans aucun doute apporté sur les lieux du crime par l'homme dans la voiture. Vous direz que Merrill, qui portait un pardessus, aurait pu il l'a facilement mis dans sa poche ; mais la preuve absolue que cela n'aurait pas pu être le cas est qu'à son arrivée en train de Londres, M. Merrill a perdu son billet et s'est fouillé très soigneusement, avec l'aide d'un inspecteur des chemins de fer, pour découvrir le morceau Il a sorti tout ce qu'il avait dans sa poche en présence de l'inspecteur, et son pardessus, seul endroit où il aurait pu cacher une arme aussi lourde, a été fouillé par l'inspecteur lui-même.

Le détective hocha la tête.

"C'est un cas très difficile", a-t-il reconnu, "et dans lequel je n'ai pas beaucoup de cœur ; car, pour être tout à fait honnête, mon point de vue est que même s'il s'agissait peut-être de Merrill, la balance de la preuve est que c'était le cas. non. C'est, bien sûr, mon point de vue officieux, et je travaillerai assez dur pour obtenir une condamnation.

"Je suis sûr que vous le ferez", a déclaré chaleureusement M. Mann.

« L'affaire doit-elle être portée devant le tribunal ? demanda anxieusement la jeune fille.

"Il n'y a pas d'autre moyen", a répondu l'officier. "Vous voyez, nous l'avons arrêté, et à moins que quelque chose n'arrive, le magistrat doit le renvoyer en jugement sur la base des preuves que nous avons obtenues."

"Pauvre Franck !" dit-elle doucement.

"C'est dur pour lui s'il est innocent", a reconnu Nash, "mais c'est une chance pour lui s'il est coupable. Mon expérience du crime et des criminels est que c'est généralement l' homme évident qui commet ce crime ; seulement une fois sur cinquante. ans est-il innocent, qu'il soit acquitté ou qu'il soit reconnu coupable.

Il tendit la main à M. Mann.

"Je vais m'en sortir maintenant, monsieur", dit-il. "Le commissaire m'a demandé de vous apporter toute l'aide possible, et j'espère l'avoir fait."

« Que fais-tu dans le cas de Jasper Cole ? » demanda rapidement Mann.

Le détective sourit.

"Vous devriez le savoir, monsieur", dit-il, et sa propre petite plaisanterie l'amusait.

"Eh bien, jeune dame", dit Mann en se tournant vers la jeune fille après le départ du détective, "je pense que vous savez où en sont les choses. Nash soupçonne Cole."

"Jaspe!" dit-elle, choquée et surprise.

"Jasper," répéta-t-il.

"Mais c'est impossible ! Il était enfermé dans sa chambre."

" Cela ne rend pas cela impossible. Je connais quatorze cas distincts d'hommes qui ont commis des crimes et ont pu s'enfermer dans leur chambre, laissant la clé à l'extérieur. Il y a eu le cas d'Henry Burton, monnayeur ; il y avait William Francis Rector. , qui a tué un gardien alors qu'il était en prison et a verrouillé la cellule sur lui-même de l'intérieur. Il y avait... Mais là ; pourquoi devrais-je vous embêter avec des exemples ? Ce genre de truc est assez courant. Non, " dit-il, " c'est le motif que nous devons trouver. Voulez-vous toujours que je vous accompagne demain, Miss Nuttall ? Il a demandé.

"Je serais très heureuse si vous le faisiez", dit-elle sincèrement. "Pauvre, cher oncle ! Je ne pensais pas pouvoir rentrer un jour dans la maison."

"Je peux vous soulager de cela", dit-il. "Le testament ne doit pas être lu dans la maison. Les avocats de M. Minute ont organisé la lecture dans leurs bureaux de Lincoln's Inn Fields. J'ai l'adresse ici quelque part."

Il fouilla dans sa poche et en sortit une carte.

"Power, Commons & Co.", lut-il, "194 Lincoln's Inn Fields. Je vous y retrouverai à trois heures."

Il ébouriffa ses cheveux en désordre avec un rire embarrassé.

"Il semble que j'ai dérivé vers la position de votre tuteur, jeune femme," dit-il. "Je ne peux pas dire que ce soit une tâche désagréable, même si c'est une grande responsabilité."

« Vous avez été splendide, M. Mann, » dit-elle chaleureusement, « et je n'oublierai jamais tout ce que vous avez fait pour moi. D'une manière ou d'une autre, je sens que Frank s'en sortira ; et j'espère – je prie pour que ce ne soit pas chez Jasper. frais."

Il la regarda avec surprise et déception.

"Je pensais..." il s'arrêta.

"Vous pensiez que j'étais fiancée à Frank, et c'est ce que je suis", dit-elle avec une couleur accrue. "Mais Jasper l'est... je sais à peine comment le dire."

"Je vois", a déclaré M. Mann, mais, à vrai dire, il n'a rien vu qui l'ait éclairé.

Le lendemain, à trois heures de l'après-midi, ils montèrent ensemble les marches du cabinet d'avocats. Jasper Cole était déjà là, et à la grande surprise de M. Mann, l'inspecteur Nash aussi, qui expliqua sa présence en quelques mots.

"Il se peut qu'il y ait quelque chose dans le testament qui ouvrira un nouveau point de vue", a-t-il déclaré.

M. Power, l'avocat, un homme âgé et enclin à la rondeur, fut présenté et, prenant place devant la cheminée, ouvrit les débats avec une expression de regret quant aux circonstances qui les avaient réunis.

"Le testament de mon défunt client", dit-il, "n'a pas été rédigé par moi. Il est rédigé de la main de M. Minute et révoque le seul autre testament, préparé il y a environ quatre ans et qui prévoyait des dispositions assez différentes. à ceux qui figurent dans le présent instrument. Ce testament" - il sortit une seule feuille de papier d'une enveloppe - "a été fait l'année dernière et a été attesté par Thomas Wellington Crawley" - il ajusta son pince-nez et examina la signature - " tardivement soldat de la police à cheval du Matabeleland, et par George Warrell , qui était à l'époque le majordome de M. Minute. Warrell est décédé à l'hôpital d'Eastbourne au printemps de cette année.

Il y eut un profond silence. Le visage de Saul Arthur Mann était projeté avec impatience vers l'avant, sa tête légèrement tournée sur le côté. L'inspecteur Nash a montré un intérêt inhabituel. Les deux hommes avaient la même pensée : un nouveau testament, attesté par deux personnes, dont l'une était morte et l'autre fugitive ; qu'est-ce que cela va contenir ?

C'était le plus bref des documents. Il a laissé à sa pupille la somme de deux cent mille livres, "une disposition qui était également prévue dans le testament précédent, pourrais-je ajouter", a déclaré l'avocat, et à cette somme il a ajouté toutes ses actions dans le Gwelo Deep.

"Il a laissé vingt mille livres à son neveu, Francis Merrill."

L'avocat s'arrêta et regarda autour du petit cercle, puis reprit :

"Le résidu de mes biens meubles et immeubles, tous mes meubles, baux, actions, espèces de banquiers et tous intérêts quels qu'ils soient, je le lègue à Jasper Cole, soi-disant, qui est actuellement mon secrétaire et agent de confiance."

Le détective et Saul Arthur Mann échangèrent un regard et les lèvres de Nash bougèrent.

"En quoi est-ce un 'motif' ?" Il murmura.

CHAPITRE XII

LE PROCÈS DE FRANK MERRILL

Le procès de Frank Merrill pour l'accusation selon laquelle il « a commis, le vingt-huitième jour de juin de l'an de grâce mil neuf cents, tué et tué volontairement et méchamment d'un coup de pistolet John Minute » a été la sensation d'une saison qui a été exceptionnellement prolifique dans les procès pour meurtre. Le procès s'est déroulé aux assises de Lewes, dans une salle d'audience bondée, et a duré, comme on le sait, seize jours, dont cinq jours consacrés à l'interrogatoire principal et au contre-interrogatoire des comptables inscrits dans les livres de la Banque.

L'accusation s'est efforcée d'établir que personne d'autre que Frank Merrill ne pouvait avoir accès aux livres et que, par conséquent, aucune autre personne n'aurait pu les falsifier ou manipuler le transfert d'argent. On ne peut pas dire que l'accusation ait entièrement réussi ; car lorsque Brandon, le directeur de la banque, fut placé à la barre des témoins, il fut obligé d'admettre que non seulement Frank, mais lui-même et Jasper Cole, étaient en mesure d'accéder aux livres.

Le discours d'ouverture de la couronne avait été magistral. Mais le fait qu'il y ait de nombreux points faibles dans les preuves et dans les hypothèses formulées par l'accusation était évident pour le simple novice.

Sir George Murphy Jackson, le procureur général qui poursuivit, tenta de régler sommairement certains conflits, et il faut avouer que ses explications étaient très plausibles.

"La défense nous dira ", a-t-il déclaré, de ce ton aigu et clairon qui a fait trembler le cœur de tant de témoins hostiles, "que nous n'avons pas expliqué le quatrième homme qui est arrivé dans sa voiture dix minutes plus tard. après que Merrill soit entré dans la maison et ait disparu, mais je vais vous raconter ma théorie sur cet incident.

"Merrill avait un complice qui n'est pas en détention, et ce complice est Rex Holland. Merrill avait planifié et préparé ce meurtre, car d'après une déclaration de son oncle, il croyait que non seulement tout son avenir dépendait de la destruction de son bienfaiteur et faire taire à jamais le seul homme qui connaissait l'étendue de sa méchanceté, mais qui, à sa manière froide et astucieuse, avait prévu avec précision les conséquences exactes d'une telle fusillade. C'était une grande idée de grand criminel.

"Il avait prévu ce procès", a-t-il déclaré de manière impressionnante ; « Il a prévu, messieurs les jurés, son acquittement de votre part. Il a prévu une réaction qui non seulement lui donnerait la femme qu'il déclare aimer, mais qui mettrait par conséquent entre ses mains la disposition de sa fortune considérable.

"Pourquoi devrait-il tirer sur John Minute ? demandez-vous peut-être ; et je réponds à cette question par une autre : que serait-il arrivé s'il n'avait pas tiré sur son oncle ? Il aurait été un homme ruiné. Les portes de la maison de son oncle auraient été fermées. Pour lui, l'héritage aurait été révoqué, le mariage qu'il avait prévu si longtemps aurait été un rêve non réalisé.

"Il connaissait l'étendue de la fortune qui allait revenir à Miss Nuttall. M. Minute a fait deux testaments, dans lesquels il a laissé une somme identique à sa pupille. Le premier, révoqué par le second et contenant la même disposition, " L'homme sur le banc des accusés en a été témoin ! Il savait aussi que la mine d'or de Rhodésie, dont les actions étaient détenues par John Minute au nom de la jeune fille, était susceptible de prouver une proposition très riche, et je suggère que les informations reçues en tant que secrétaire de M. Minute, il a délibérément supprimé cette information à ses propres fins.

"Qu'avait-il à gagner ? Je vous demande de croire que s'il est acquitté , il aura réalisé tout ce qu'il a toujours espéré réaliser."

Il y eut un petit murmure dans la cour. Frank Merrill, appuyé sur le rebord du quai, baissa les yeux sur la jeune fille dans le corps du tribunal, et leurs regards se croisèrent. Il vit l'indignation sur son visage et hocha la tête avec un petit sourire, puis se tourna de nouveau vers l'avocat avec cet air d'intérêt avide et semi-interrogateur que la jeune fille avait si souvent vu sur son beau visage.

"Au cours de ce procès, on fera grand cas de la présence d'un autre homme, et la défense s'efforcera d'obtenir un capital du fait que l'homme Crawley, dont il a été suggéré qu'il était dans la maison dans un but inapproprié, n'a pas été découvert. Quant au quatrième homme, le conducteur de l'automobile, il ne semble guère douteux qu'il était un complice de Merrill. Ce mystérieux Rex Holland, qui a été identifié par Mme Totney , d' Uckfield , a passé le toute la journée à errer dans le Sussex, ayant visiblement un projet en tête, qui était d'arriver chez M. Minute en même temps que son complice.

"Vous aurez le témoignage du chauffeur de taxi selon lequel, lorsque Merrill s'est retiré, après avoir été conduit hors de la gare, il a regardé à gauche et à droite, comme s'il attendait quelqu'un. Le plan a en quelque sorte échoué. Le complice est arrivé dix minutes trop tard. Sous un prétexte ou un autre, Merrill a probablement quitté la pièce. Je suggère qu'il n'est pas entré dans la salle à manger, mais qu'il est sorti dans le jardin et qu'il a été accueilli par son complice, qui lui a remis l'arme avec laquelle ce crime a été commis.

"La défense pourrait se demander pourquoi le complice, qui était vraisemblablement Rex Holland, n'a pas lui-même commis le crime. Je pourrais proposer deux ou trois suggestions alternatives, qui sont toutes réalisables. L'homme décédé a été abattu à bout portant, et a été trouvé dans une attitude telle qu'il semblait qu'il n'était absolument pas préparé à l'attaque. Nous savons qu'il avait une certaine peur et qu'il était invariablement armé ; mais il est assez certain qu'il n'a pas tenté de dégainer son arme, ce qu'il a fait. l'aurait certainement fait s'il avait été soudainement confronté à un étranger armé.

"Je ne prétends pas expliquer l'étrange relation entre Merrill et ce mystérieux faussaire. Merrill est le seul homme à l'avoir vu et à en avoir donné une description vague et quelque peu confuse. "C'était un homme au regard court et proche. "Barbe taillée" est la description de Merrill. La femme qui lui a servi du thé près d'Uckfield le décrit comme un "homme plus jeune avec une moustache sombre, mais autrement rasé de près".

"Il n'y a bien sûr aucune raison pour qu'il n'ait pas enlevé sa barbe, mais contre cette suggestion, nous présenterons des preuves pour prouver que l'homme vu conduire avec le chauffeur assassiné était invariablement un homme avec une moustache et pas de barbe, donc que la balance des probabilités penche en faveur de l'hypothèse selon laquelle Merrill ne dit pas la vérité. Un client inconnu disposant d'un dépôt important à sa banque ne serait pas susceptible de modifier constamment son apparence. S'il était un criminel, comme nous le connaissons Dans ce cas, il y aurait une autre raison pour laquelle il ne devrait pas éveiller ainsi les soupçons. »

Son discours dura la plus grande partie de la journée, mais il revint sur la scène du jardin, sur la prétendue rencontre des deux hommes et sur le meurtre.

Saul Arthur Mann, assis avec l'avocat de Frank, se gratta le nez et sourit.

"Je n'ai jamais entendu parler d'une reconstruction plus ingénieuse", a-t-il déclaré ; "bien que, bien sûr, tout cela soit manifestement absurde."

En tant que théorie, c'était sans aucun doute excellent ; mais les hommes ne sont pas condamnés à mort sur des théories, si ingénieuses soient-elles. Personne à la cour n'a probablement autant admiré l'ingéniosité que l'homme le plus touché. A l'heure du déjeuner, le jour où cette théorie a été avancée, il a rencontré son avocat et Saul Arthur Mann dans la pièce nue dans laquelle de tels entretiens sont autorisés.

"C'était vraiment fascinant de l'entendre", a déclaré Frank en sirotant la tasse de thé qu'ils lui avaient apportée. "J'ai presque commencé à croire que j'avais commis le meurtre ! Mais n'est-ce pas plutôt alarmant ? Le jury sera-t-il du même avis ?" » demanda-t-il, un peu troublé.

L'avocat secoua la tête.

"Des théories non étayées de ce genre ne conviennent pas aux jurys et, bien sûr, toute l'histoire est si fragile et si improbable qu'elle ne nécessitera qu'un raisonnement intelligent."

"Est-ce que quelqu'un vous a vu à la gare ?"

Frank secoua la tête.

"Je suppose que des centaines de personnes m'ont vu, mais se souviennent à peine de moi."

« Y avait-il quelqu'un dans le train qui vous connaissait ?

"Non", dit Frank après un moment de réflexion. "Il y avait six personnes dans ma voiture jusqu'à ce que nous arrivions à Lewes, mais je pense vous l'avoir dit, et vous n'avez réussi à retrouver aucune d'entre elles."

"Il est très difficile d'entrer en contact avec ces gens-là", a déclaré l'avocat. "Pensez aux dizaines de personnes avec lesquelles on voyage, sans jamais se rappeler à quoi elles ressemblaient ou comment elles étaient habillées. Si vous aviez été une femme, voyageant avec des femmes, chacun de vos cinq compagnons de voyage se serait souvenu de vous et se serait souvenu de vous. ton chapeau."

Franck rit.

"Il y a certains inconvénients à être un homme", a-t-il déclaré. « Comment pensez-vous que l'affaire se déroule ?

"Ils n'ont encore présenté aucune preuve. Je pense que vous en conviendrez, M. Mann", dit-il respectueusement, car Saul Arthur Mann était une puissance dans les cercles juridiques.

"Aucun du tout", approuva le petit bonhomme.

Frank se souvient du premier jour où il l'avait vu, avec son chapeau perché sur l'arrière de sa tête et son extérieur miteux et distingué.

"Oh, par Jupiter !" il a dit. "Je suppose qu'ils vont essayer de m'imposer la mort de cet homme que nous avons vu à Grey Square."

Saul Arthur Mann hocha la tête.

"Ils n'ont pas mis cela dans l'acte d'accusation", dit-il, "ni le cas du chauffeur. Vous voyez, votre condamnation reposera entièrement sur cette accusation actuelle, et les deux autres questions sont subsidiaires."

Frank marchait pensivement de long en large dans la pièce, les mains derrière le dos.

"Je me demande qui est Rex Holland", dit-il à moitié pour lui-même.

"Tu as toujours ta théorie ?" demanda l'avocat en le regardant attentivement.

Frank hocha la tête.

« Et tu préfères toujours ne pas le mettre en mots ?

"Je préférerais pas le faire", dit Frank gravement.

Il retourna à la cour et chercha la jeune fille du regard, mais elle n'était pas là. Le reste de l'après-midi, absorbé par les préliminaires de l'affaire, l'ennuyait.

C'est le douzième jour du procès que Jasper Cole est arrivé à la barre des témoins. Il était vêtu de noir et était plus pâle que d'habitude, mais il prêta serment d'une voix ferme et répondit sans hésitation aux questions qui lui furent posées.

L'histoire de la querelle de Frank avec son oncle, des chèques falsifiés et de sa propre expérience la nuit du crime occupait la plus grande partie de la matinée, et c'est dans l'après-midi que Bryan Bennett, l'un des avocats les plus brillants de son temps, s'est levé pour contre-interroger.

« Aviez-vous des soupçons que votre employeur se faisait voler ?

"J'avais un soupçon," répondit Jasper.

"Avez-vous fait part de vos soupçons à votre employeur ?"

Jasper hésita.

"Non," répondit-il enfin.

"Pourquoi hésites-tu ?" » demanda brusquement Bennett.

"Car, même si je n'ai pas fait part directement de mes soupçons, j'ai laissé entendre à M. Minute qu'il devrait faire procéder à un audit indépendant."

" Alors tu pensais que les livres étaient faux ? "

"Je l'ai fait."

« Dans ces circonstances, » demanda lentement Bennett, « ne pensez-vous pas qu'il était très imprudent de votre part de toucher vous-même à ces livres ?

« Quand les ai-je touchés ? » demanda rapidement Jasper.

"Je suggère qu'une certaine nuit vous êtes venu à la banque et êtes resté seul à la banque, examinant les livres de comptes au nom de votre employeur, et que pendant ce temps vous avez manipulé au moins trois livres dans lesquels ces falsifications ont été faites."

"C'est tout à fait exact", dit Jasper après un moment de réflexion ; "mais mes soupçons étaient généraux et ne s'appliquaient à aucun groupe particulier de livres."

"Mais tu ne pensais pas que c'était dangereux ?"

Encore une hésitation.

"C'était peut-être stupide, et si j'avais su comment les choses évoluent, je n'y aurais certainement pas touché."

« Vous admettez qu'il y a eu plusieurs périodes, de sept heures du soir à neuf heures et de neuf heures trente à onze heures quinze, où vous étiez absolument seul à la banque ?

"C'est vrai," dit Jasper.

"Et pendant ces périodes, vous auriez pu, si vous l'aviez voulu et si vous aviez été faussaire par exemple, ou si vous aviez une quelconque raison de falsifier les inscriptions, faire ces falsifications ?"

"J'admets que nous avions le temps," dit Jasper.

« Vous décririez-vous comme un ami de Frank Merrill ? »

"Pas un ami proche," répondit Jasper.

"Est-ce que tu l'aimais?"

"Je ne peux pas dire que je l'aimais", fut la réponse.

« C'était un de vos rivaux ?

"Dans quel sens ?"

L'avocat haussa les épaules.

"Il aimait beaucoup Miss Nuttall."

"Oui."

"Et elle l'aimait ?"

"Oui."

« N'aspiriez-vous pas à donner votre adresse à Miss Nuttall ?

Jasper Cole baissa les yeux sur la fille et May détourna les yeux. Ses joues étaient brûlantes et elle avait une folle envie de fuir la cour.

"Si vous voulez dire si j'ai aimé Miss Nuttall," dit Jasper Cole, de son ton calme et égal, "je réponds que je l'ai aimé."

"Vous avez même obtenu le soutien actif de M. Minute ?"

"Je n'ai jamais insisté sur le sujet auprès de M. Minute", a déclaré Jasper.

"Donc, s'il a bougé en votre nom, il l'a fait à votre insu ?"

"À mon insu", corrigea le témoin. "Il m'a dit plus tard qu'il avait parlé à Miss Nuttall et j'étais considérablement embarrassé."

"Je comprends que vous étiez un homme aux habitudes curieuses, M. Cole."

"Nous sommes tous des gens aux habitudes curieuses", sourit le témoin.

— Mais vous en particulier. Vous étiez orientaliste, je crois ?

"J'ai étudié les langues et coutumes orientales", dit brièvement Jasper.

"Avez-vous déjà étendu vos études au domaine de l'hypnotisme ?"

"Oui", a répondu le témoin.

"Avez-vous déjà fait des expériences ?"

"Sur les animaux, oui."

"Sur les êtres humains ?"

"Non, je n'ai jamais fait d'expériences sur des êtres humains."

"Avez-vous également fait une étude sur les stupéfiants ?"

L'avocat se pencha au-dessus de la table et regarda le témoin entre les yeux mi-clos.

"J'ai fait des expériences avec des herbes et des plantes narcotiques," dit Jasper après un moment d'hésitation. "Je pense qu'il faut savoir que la carrière qui était prévue pour moi était celle de médecin et j'ai toujours été très intéressé par les effets des stupéfiants."

"Vous connaissez une drogue appelée *cannabis indica* ?" demanda l'avocat en consultant son journal.

"Oui, c'est du 'chanvre indien'."

"Est-ce qu'il y a une infusion de *cannabis indica* à obtenir ?"

"Je ne pense pas que ce soit le cas", a déclaré l'autre. "Je peux probablement vous éclairer car je vois maintenant la tendance de votre examen. J'ai dit un jour à Frank Merrill, il y a de nombreuses années, alors que j'étais très enthousiaste, qu'une infusion de *cannabis indica* , combinée à une teinture d'opium et d' hyocine , produisait certains effets. ".

"Il a tendance à saper la volonté d'un homme ou d'une femme qui absorbe constamment ce poison à petites doses ?" suggéra l'avocat.

"Il en est ainsi."

L'avocat s'est alors engagé sur une nouvelle voie.

"Connaissez-vous l'Est de Londres ?"

"Oui, légèrement."

"Connaissez-vous Silvers Rents?"

"Oui."

"Est-ce que tu vas parfois à Silvers Rents ?"

"Oui, j'y vais très régulièrement."

La promptitude de la réponse étonna Frank et la jeune fille. Elle se sentait de plus en plus mal à l'aise à mesure que le contre-interrogatoire se poursuivait et avait le sentiment d'avoir d'une manière ou d'une autre trahi la confiance de Jasper Cole. Elle avait écouté le contre-interrogatoire qui révélait Jasper comme un scientifique avec une sorte d'étonnement. Elle connaissait le laboratoire, mais avait associé l'endroit à ces expériences divertissantes qu'un oisif amateur de chimie pouvait entreprendre.

Pendant un instant, elle douta et chercha dans son esprit une occasion où il aurait mis en pratique ses connaissances médicales. Elle se rendit vaguement compte qu'il y *avait* eu une telle occasion, puis elle se souvint que c'était toujours Jasper Cole qui avait concocté ces étranges potions qui avaient tant soulagé le mal de tête auquel, lorsqu'elle était un peu plus jeune, elle avait été en quelque sorte une sorte d'objet. martyr. Pourrait-il... Elle lutta durement pour rejeter cette pensée comme étant indigne d'elle ; et maintenant, alors que l'objet de ses visites à Silvers Rents était en cours d'examen, sa curiosité grandissait.

"Pourquoi es-tu allé chez Silvers Rents ?"

Il n'y avait pas de réponse.

"Je vais répéter ma question : dans quel but êtes-vous allé à Silvers Rents ?"

"Je refuse de répondre à cette question", dit froidement l'homme dans la boîte. "Je vous dis simplement que j'y allais fréquemment."

"Et tu refuses de dire pourquoi ?"

"Je refuse de dire pourquoi", a répété le témoin.

Le juge sur le banc a pris une petite note.

"Je vous ai dit", a déclaré l'avocat d'une manière impressionnante, "que c'est à Silvers Rents que vous avez pris une autre identité."

"C'est probablement vrai", dit l'autre, et la jeune fille haleta ; il était si cool, si maître de lui, si sûr de lui.

"Je vous suggère", a poursuivi l'avocat, "que dans ces Rents, Jasper Cole est devenu Rex Holland."

Il y eut un bourdonnement d'excitation, une soudaine et douce clameur de voix à travers laquelle la dure exigence de silence de l'huissier transperça comme un couteau.

"Votre suggestion est absurde," dit Jasper, sans chaleur, "et je présume que vous allez produire des preuves pour étayer une déclaration aussi infâme."

"Quelles preuves je produis", a déclaré l'avocat avec aspérité, "c'est à moi de décider."

"C'est aussi l'affaire du témoin", intervint la voix douce du juge. "Comme vous avez suggéré que Holland était partie prenante au meurtre, et comme vous déduisez que Rex Holland est Jasper Cole, il est présumé que vous présenterez des preuves pour étayer une accusation aussi grave."

"Je ne suis pas prêt à présenter des preuves, monseigneur, et si Votre Seigneurie estime que la question n'aurait pas dû être posée , je suis prêt à la retirer."

Le juge hocha la tête et tourna la tête vers le jury.

"Vous considérerez cette question comme n'ayant pas été posée, messieurs", dit-il. "Il ne fait aucun doute que l'avocat tente d'établir le fait qu'une personne aurait tout aussi bien pu être Rex Holland qu'une autre. Rien n'indique que M. Cole s'est rendu chez Silvers Rents - qui, je crois, se trouve dans un quartier très pauvre - avec une intention illégale. , ou qu'il commettait un crime ou se comportait de manière inappropriée en effectuant des visites aussi fréquentes. Il peut y avoir quelque chose dans la vie du témoin associé à cette pauvre maison qui n'a aucun rapport avec l'affaire et qu'il ne souhaite pas qu'il soit aéré dans " Il arrive à beaucoup d'entre nous, poursuivit le juge, d'avoir des associations qu'il nous embarrasserait de révéler. "

Ce petit incident a clôturé cette partie du contre-interrogatoire et l'avocat est passé à la nuit du meurtre.

"Quand es-tu venu à la maison ?" Il a demandé.

"Je suis arrivé à la maison peu après la tombée de la nuit."

« Étiez-vous allé à Londres ?

"Oui; j'ai marché depuis Bexhill ."

« Il faisait noir quand tu es arrivé ?

"Oui, il fait presque nuit."

« Les domestiques étaient tous sortis ?

"Oui."

"M. Minute était-il content de vous voir ?"

"Oui ; il m'attendait plus tôt dans la journée."

« Vous a-t-il dit que son neveu venait le voir ?

"Je le savais."

« Vous dites qu'il vous a suggéré de vous cacher ?

"Oui."

"Et comme tu avais mal à la tête, tu es monté à l'étage et tu t'es allongé sur ton lit ?"

"Oui."

"Que faisais-tu à Bexhill ?"

"Je suis descendu de la ville et je me suis retrouvé dans la mauvaise partie du train."

Un junior se pencha et murmura rapidement à son chef.

"Je vois, je vois", dit l'avocat avec irritation. "Votre billet a été trouvé à Bexhill . Avez-vous déjà vu M. Rex Holland ?" Il a demandé.

"Jamais."

"Vous n'avez jamais rencontré une personne de ce nom ?"

"Jamais."

C'est ainsi que le contre-interrogatoire s'est terminé, comme les contre-interrogatoires ont l'habitude de le faire.

Au moment où les plaidoiries finales des avocats furent terminées et que le juge eut terminé un résumé magistral, il n'y avait aucun doute dans l'esprit de quiconque présent dans le tribunal quant au verdict. Le jury s'est absenté de la loge pendant vingt minutes et a rendu un verdict de « non coupable ! »

Le juge a libéré Frank Merrill sans commentaire, et il a quitté le tribunal libre mais ruiné.

CHAPITRE XIII

L'HOMME QUI EST VENU À MONTREUX

C'était deux mois après le grand procès, par une chaude journée d'octobre, lorsque Frank Merrill descendit du grand bateau à aubes blanc qui l'avait transporté sur le lac Léman depuis Lausanne et, remettant son sac à un porteur, se dirigea vers l'omnibus de l'hôtel. Il a regardé sa montre. Il indiquait quatre heures moins le quart, et mai ne devait arriver qu'après une heure et demie. Il se rendit à son hôtel, se lava, se changea et descendit dans le vestibule pour s'enquérir si les instructions qu'il avait télégraphiées avaient été exécutées.

May arrivait en compagnie de Saul Arthur Mann, qui prenait l'une de ses rares vacances à l'étranger. Frank n'avait vu la jeune fille qu'une seule fois depuis le jour du procès. Il était venu prendre son petit-déjeuner le lendemain matin et on n'avait pas beaucoup parlé. Il devait partir cet après-midi pour le continent. Il avait un peu d'argent, suffisant pour ses besoins, et Jasper Cole n'avait pas laissé entendre qu'il contesterait le testament, dans la mesure où cela affectait Frank. Il était donc parti à l'étranger et avait oisifé deux mois en France, en Espagne et en Italie, puis était rentré tranquillement en Suisse via Maggiore.

Il était devenu un peu plus sérieux, était un peu plus posé dans ses mouvements, mais il ne portait sur son visage aucune marque qui indiquât l'agonie mentale par laquelle il avait dû passer dans cette épreuve longue et ennuyeuse. C'est ce que pensa la jeune fille en franchissant les portes battantes de l'hôtel, en croisant les domestiques obséquieux de l'hôtel et en le saluant dans la grande cour de palmiers.

Si elle voyait un changement en lui, il remarquait en elle un développement qui était loin d'être merveilleux. Elle était à cet âge où la femme perce la belle chrysalide de l'enfance. Au cours de ces deux mois, un changement remarquable s'était produit en elle, un changement qu'il ne pouvait pas définir pour le moment, car ce phénomène de développement avait été nié à son expérience.

"Eh bien, May," dit-il, "tu es assez vieille."

Elle rit, et encore une fois il remarqua le changement. Le rire était plus riche, plus doux, plus pur que les aigus bouillonnants qu'il avait connus.

"Vous ne recevez pas de compliments, n'est-ce pas ?" elle a demandé.

Elle était habillée de façon exquise et avait cet équilibre que peu d'Anglaises atteignent. Elle avait l'art de porter des vêtements, et depuis la fine crête de sa tuque jusqu'au bout de ses petits pieds, elle était tout ce que le critique le plus exigeant pouvait désirer. Il y a des femmes bien habillées qui ne sont que des mannequins. Il y a de belles dames qu'on ne peut prendre pour autre chose que de belles dames, dont les robes sont une horreur et une abomination et dont les goûts exprimés sont exécrables.

May Nuttall était une dame raffinée, finement vêtue.

"Quand tu auras fini de m'admirer, Frank," dit-elle, "dites-nous ce que vous avez fait. Mais d'abord, prenons du thé. Vous connaissez M. Mann ?"

Le petit enquêteur rayonnant à l'arrière-plan prit la main de Frank et la serra chaleureusement. Il portait ce qu'il pensait être un costume approprié pour un pays montagneux. Ses bottes étaient solides, les bas de laine qui couvraient ses jambes très fines étaient très laineux et son tailleur knickerbocker était garanti pour résister à l'usure. Il avait abandonné son haut-de-forme pour une grande casquette de golf, posée négligemment sur un œil. Frank regarda autour de lui avec appréhension à la recherche de l'alpenstock de Saul Arthur et fut soulagé de ne pas en découvrir un.

La jeune fille jeta son manteau de fourrure et déboutonna ses gants tandis que le serveur plaçait le grand plateau en argent sur la table devant elle.

"J'ai bien peur de n'avoir pas grand-chose à dire", a déclaré Frank en réponse à sa question. "Je viens de flâner. Quelles sont tes nouvelles ?"

"Quelles sont mes nouvelles ?" elle a demandé. "Je ne pense pas en avoir, sauf que tout se passe très bien en Angleterre et, oh, Frank, je suis immensément riche !"

Il a souri.

"Il serait approprié de dire que je suis extrêmement pauvre", dit-il, "mais en réalité je ne le suis pas. Je suis descendu à Aix et j'ai gagné pas mal d'argent".

"Gagné?" dit-elle.

Il hocha la tête avec un petit sourire amusé.

"Tu n'aurais pas pensé que j'étais un joueur, n'est-ce pas ?" » demanda-t-il solennellement. "Je ne le pense pas, en fait, mais d'une manière ou d'une autre, je voulais m'occuper l'esprit."

"Je comprends," dit-elle rapidement.

Encore une petite pause pendant qu'elle versait le thé, ce qui donna à Saul Arthur Mann l'occasion de raconter cinquante faits sur Genève en autant de phrases.

« Qu'est-il arrivé à Jasper ? » demanda Frank au bout d'un moment.

La fille rougit un peu.

"Oh, Jasper," dit-elle maladroitement, "Je le vois, tu sais. Il est devenu plus mystérieux que jamais, un peu comme l'un de ces méchants dont on parle dans les histoires à sensation. Il a un laboratoire quelque part dans le pays, et il fait beaucoup d'automobile. Je l'ai vu plusieurs fois à Brighton, par exemple.

Frank hocha lentement la tête.

"Je devrais penser qu'il était un bon pilote", a-t-il déclaré.

Saul Arthur Mann leva les yeux et croisa son regard avec un sourire qui fut perdu pour la jeune fille.

"Il a été gentil avec moi", dit-elle avec hésitation.

« Est-ce qu'il parle parfois de… »

Elle secoua la tête.

« Je ne veux pas penser à ça », dit-elle ; "S'il te plaît, ne nous laisse pas en parler."

Il savait qu'elle faisait référence à la mort de John Minute et a changé la conversation.

Quelques minutes plus tard, il a eu l'occasion de parler avec M. Mann.

"Quelles sont les nouvelles?" Il a demandé.

Saul Arthur Mann regarda autour de lui.

"Je pense que nous nous rapprochons de la vérité", dit-il en baissant la voix. "Un de mes hommes le garde en observation depuis le jour du procès. Il ne fait aucun doute que c'est vraiment un brillant chimiste."

"Avez-vous une théorie?"

"J'en ai plusieurs", a déclaré M. Mann. "Je suis parfaitement convaincu que le malheureux que nous avons vu ensemble à l'occasion de notre première rencontre était le domestique de Rex Holland. J'étais tout aussi certain qu'il avait été empoisonné par un empoisonnement très puissant. Lors de votre procès, le corps a été exhumé et examiné, et la présence de cette drogue a été découverte. C'était la même que celle utilisée dans le cas du chauffeur. De toute évidence, Rex Holland est un chimiste intelligent. Je voulais vous voir à ce sujet. Il a dit au procès qu'il avait discuté de cette drogue. compte pour toi."

Frank hocha la tête.

"Nous parlions assez longuement de la drogue", a-t-il déclaré. "Je me souviens de beaucoup de ces conversations depuis le jour du procès. Il m'a même renvoyé avec son enthousiasme, et je l'ai aidé dans ses petites expériences, et j'ai acquis une connaissance assez pratique de ces éléments particuliers. Malheureusement , je ne m'en souviens pas très bien . beaucoup, car mon enthousiasme s'est vite éteint, et au-delà du fait qu'il employait de l'hyocine et du chanvre indien, je n'ai que le plus vague souvenir d'aucun des constituants qu'il employait.

Saul Arthur hocha énergiquement la tête.

" J'aurai peut-être plus à vous dire plus tard, " dit-il, " mais pour le moment mes enquêtes se déroulent plutôt bien. Ce sera un homme difficile à attraper, car, si tout ce que je crois est vrai, c'est un homme difficile à attraper. "C'est l'un des hommes les plus froids et les plus calculateurs que j'ai jamais rencontrés - et j'en ai rencontré quelques-uns", a-t-il ajouté sombrement.

Quand il parlait d'hommes, Frank savait qu'il parlait de criminels.

"Nous lui faisons probablement une horrible injustice", sourit-il. « Pauvre vieux Jasper !

"Vous n'êtes pas fait pour le travail de policier", a lancé Saul Arthur Mann ; "tu as trop de sympathies."

"Je ne sympathise pas vraiment", répondit Frank, "mais je le plains juste d'une certaine manière."

M. Mann regarda de nouveau autour de lui avec précaution et baissa de nouveau la voix, qui s'était élevée.

"Il y a une chose dont je veux vous parler. C'est une question plutôt délicate, M. Merrill", a-t-il déclaré.

« Tire en avant ! »

"Il s'agit de Miss Nuttall. Elle a beaucoup vu notre ami Jasper, et après chaque entretien, elle semble devenir de plus en plus dépendante de son aide. Une ou deux fois , elle a été gênée lorsque j'ai parlé de Jasper Cole et elle a changé. l'objet."

Frank pinça les lèvres pensivement, et un petit regard dur apparut dans ses yeux, ce qui n'était pas de bon augure pour Jasper.

"Alors c'est tout", dit-il en haussant les épaules. "Si elle tient à lui, ce ne sont pas mes affaires."

"Mais c'est votre affaire", dit l'autre sèchement. "Elle t'aimait assez pour te proposer de t'épouser."

La suite des discussions fut interrompue par l'arrivée de la jeune fille. Leur rencontre à Genève avait été dans une certaine mesure le fruit du hasard. Elle passait l'hiver à Chamonix et Saul Arthur Mann en profita pour passer de courtes et agréables vacances. Apprenant que Frank était en Suisse, elle lui avait télégraphié pour le rencontrer.

"Est-ce que tu restes un jour en Suisse ?" lui demanda-t-elle alors qu'ils se promenaient le long du magnifique quai.

"Je retourne à Londres ce soir", répondit-il.

"Ce soir", dit-elle surprise.

Il acquiesca.

"Mais je reste ici deux ou trois jours", a-t-elle protesté.

"J'avais aussi l'intention de rester deux ou trois jours", sourit-il, "mais mes affaires n'attendront pas".

Elle le persuada néanmoins de rester jusqu'au lendemain.

Ils étaient au petit-déjeuner lorsque le courrier du matin fut livré, et Frank remarqua qu'elle parcourait rapidement la douzaine de lettres qui lui arrivaient et qu'elle en choisissait une pour la première lecture. Il ne pouvait s'empêcher de voir que cela portait un cachet anglais, et sa longue connaissance de la curieuse calligraphie de Jasper Cole ne lui laissait aucun doute quant à l'identité du correspondant. Il vit avec quel empressement elle lisait la lettre, le petit air de déception lorsqu'elle se tourna vers une feuille intérieure et constata qu'elle n'était pas remplie, et sa décision était prise. Il avait aussi un poste qu'il examinait avec une certaine impatience.

"Votre courrier n'est pas aussi beau que le mien", dit la jeune fille en souriant.

"Ce n'est pas agréable du tout", grommela-t-il ; "la seule chose que je voulais, et, pour être très honnête, May, la seule incitation—"

« Passer la nuit, ajouta-t-elle, c'était… quoi ?

« J'ai essayé d'acheter une maison au bord du lac, dit-il, et l'infernal agent de Lausanne m'a promis de m'écrire pour me dire si mes conditions avaient été acceptées par son client.

Il baissa les yeux sur la table et fronça les sourcils. Saul Arthur Mann possédait une connaissance vaste et approfondie de la nature humaine. Il avait remarqué la déception sur le visage de Frank, ayant également identifié le correspondant dont la lettre réclamait la priorité de l'attention. Il savait que la colère de Frank contre l'agent immobilier était très probablement l'expression de sa colère dans une tout autre direction.

"Puis-je envoyer la lettre ?" suggéra la jeune fille.

"Cela ne m'aidera pas", dit Frank avec une petite grimace. "Je voulais régler l'affaire cette semaine."

"Je l'ai", dit-elle. "Je vous ouvrirai la lettre et vous télégraphierai à Paris, que les conditions soient acceptées ou non."

Franck rit.

"Cela ne semble pas en valoir la peine", dit-il, "mais je devrais considérer cela comme extrêmement gentil de votre part si vous le vouliez, May."

Saul Arthur Mann croyait dans son esprit que Frank ne se souciait pas de savoir si l'agent acceptait ou non les conditions, mais qu'il avait profité de cette occasion pour voiler son mécontentement.

"Vous avez reçu un courrier assez volumineux, Miss Nuttall", dit-il.

"Mais je n'en ai ouvert qu'un. Il vient de Jasper," dit-elle précipitamment.

De nouveau, les deux hommes remarquèrent la légère rougeur, la lumière étrange et inhabituelle qui lui venait dans les yeux.

« Et d'où Jasper écrit-il ? » demanda Frank en raffermissant sa voix.

"Il écrit depuis l'Angleterre, mais il se rendait sur le continent en Hollande le jour où il a écrit", a-t-elle déclaré. "C'est drôle de penser qu'il est ici."

"En Suisse?" » demanda Frank surpris.

"Ne sois pas stupide", rit-elle. "Non, je veux dire sur le continent, je veux dire qu'il n'y a pas de mer entre nous."

Elle est devenue cramoisie.

"Ça a l'air passionnant", dit Frank sèchement.

Elle se tourna vers lui.

"Tu ne dois pas être horrible à propos de Jasper," dit-elle rapidement ; "Il ne parle jamais méchamment de toi."

"Je ne vois pas pourquoi il devrait le faire", a déclaré Frank; "mais laissons de côté un sujet qui est..."

"Lequel est quoi?" elle a défié

"Ce qui est controversé", a déclaré Frank avec diplomatie.

Elle est descendue à la gare pour l'accompagner. Alors qu'il regardait par la fenêtre, en agitant ses adieux, il pensa qu'il n'avait jamais vu un être plus charmant ni plus désirable.

C'est dans l'après-midi de ce jour où Frank Merrill se dirigeait à toute vitesse vers la frontière suisse et Paris que M. Rex Holland entra à grands pas dans le Palace Hotel de Montreux et s'assit à une table du restaurant. Il était tard et la salle était presque déserte. Giovanni, le maître d'hôtel, le reconnut et traversa précipitamment la pièce.

" Ah, monsieur , " dit-il, " vous revenez d'Angleterre. Je ne vous attendais qu'après le début des sports d'hiver. Paris est-il bien ennuyeux ? "

— Je ne suis pas passé par Paris, dit brièvement l'autre ; "Il existe de nombreuses routes qui mènent à la Suisse."

"Mais peu de routes agréables, monsieur . Je suis venu à Montreux par toutes sortes de chemins, de Paris, par Pontarlier , par Ostende, Bruxelles, par Hoek van Holland et Amsterdam, mais Paris est le seul chemin pour l'homme qui s'envole vers ce beau pays."

L'homme à table ne dit rien, parcourant attentivement le menu. Il avait l'air fatigué comme quelqu'un qui avait fait un très long voyage.

" Cela peut vous intéresser de savoir, " dit-il après avoir donné son ordre et tandis que Giovanni se détournait, " que je suis venu par le chemin le plus long. Dis-moi, Giovanni, avez-vous un homme appelé Merrill qui séjourne à l'hôtel ? "

"Non, m'sieur ", dit l'autre. "Est-ce que c'est un de tes amis ?"

M. Rex Holland sourit.

"Dans un sens, il est un ami, dans un sens, il ne l'est pas", dit-il avec désinvolture, sans offrir d'autres éclaircissements, bien que Giovanni attendit avec un signe de tête déférent.

Plus tard, après avoir terminé son modeste dîner, il se promena dans l'unique longue rue de la ville, retournant au bureau de l'hôtel avec un certain nombre de papiers parmi lesquels la liste des visiteurs, une publication imprimée en anglais, et qui, comme il racontait les allées et venues des visiteurs, non seulement à Lausanne, Montreux et Teritet , mais aussi à Evian et Genève, jouissait d'une bonne diffusion. Il s'assit à table et, tirant une feuille de papier du casier, écrivit, adressa une enveloppe à Frank Merrill, écuyer de l'Hôtel de France, Genève, la glissa dans la boîte aux lettres de l'hôtel et se coucha.

"Il y a ici une lettre pour Frank", dit la jeune fille. "Je me demande si cela vient de son agent."

Elle examina l'enveloppe qui portait le cachet de la poste de Montreux.

"J'imagine que c'est le cas", a déclaré Saul Arthur Mann.

"Eh bien, je vais l'ouvrir de toute façon", dit la jeune fille. "Pauvre Frank ! Il sera en suspens."

Elle déchira l'enveloppe et en sortit une lettre. M. Mann a vu son visage pâlir et la lettre trembler dans sa main. Sans un mot, elle le lui passa et il lut :

"Cher Frank Merrill", disait la lettre. "Donnez-moi encore un mois de grâce et vous pourrez alors raconter toute l'histoire. Bien à vous, Rex Holland."

Saul Arthur Mann regarda la lettre la bouche ouverte.

"Qu'est-ce que ça veut dire?" demanda la jeune fille à voix basse.

"Cela signifie que Merrill protège quelqu'un", a déclaré l'autre. "Ça veut dire-"

Soudain, son visage s'éclaira d'excitation.

"L'écriture!" Il haletait.

Ses yeux suivirent les siens, et pendant un instant elle ne comprit pas ; puis, d'un mouvement éclair du bras, elle lui arracha la lettre des mains et la froissa en boule.

"L'écriture!" » répéta M. Mann. « Je l'ai déjà vu. C'est celui de Jasper Cole !

Elle le regardait fixement, même si son visage était blanc et que la main qui tenait le papier froissé tremblait.

"Je pense que vous vous trompez, M. Mann," dit-elle doucement.

CHAPITRE XIV

L'HOMME QUI RESSEMBLAIT À FRANK

Saul Arthur Mann revint en Angleterre plein de ses nouvelles, et trouva Frank au petit hôtel de Jermyn Street où il s'était installé, et Frank écouta sans interruption le récit de la lettre.

" Bien entendu, poursuivit le petit bonhomme, je me rendis directement à Montreux. L'en-tête du billet n'était pas sur le papier, mais je n'eus aucune difficulté, en comparant les qualités des papiers utilisés dans les différents hôtels, à découvrir qu'il » était écrit depuis le palais. Le maître d'hôtel connaissait ce Rex Holland, qui avait été un visiteur fréquent, avait toujours donné des pourboires très généreux et vivait dans une sorte de style. Il ne pouvait pas décrire son patron, sauf qu'il était un jeune homme avec un manière très langoureuse qui était arrivé la veille matin de Hollande et avait immédiatement demandé Frank Merrill.

"De Hollande ! Etes-vous sûr que c'était le matin ? J'ai une raison particulière de vous demander", demanda rapidement Frank.

"Non, ce n'était pas le matin, maintenant tu le dis. C'était le soir. Il est reparti le lendemain matin par le train du nord."

"Comment a-t-il trouvé mon adresse ?" demanda Franck.

" Évidemment d'après la liste des visiteurs. Le serveur de service dans la salle de rédaction se souvient l'avoir vu consulter le journal. Maintenant, mon garçon, tu dois être parfaitement franc avec moi. Que sais-tu de Rex Holland ? "

Frank ouvrit son étui, sortit une cigarette et l'alluma avant de répondre.

"Je sais ce que tout le monde sait de lui", dit-il avec une pointe d'amertume dans la voix, "et quelque chose que personne d'autre que moi ne sait."

"Mais, mon cher," dit Saul Arthur Mann en posant sa main sur l'épaule de l'autre, "vous réalisez sûrement combien il est important pour vous de me dire tout ce que vous savez."

Frank secoua la tête.

"Le moment n'est pas venu", a-t-il déclaré, et il n'a souhaité faire aucune autre déclaration.

Mais sur un autre sujet, il a été catégorique.

" Par le ciel, Mann, je ne vais pas rester les bras croisés et voir May ruiner sa vie. Il y a quelque chose de sinistre dans cette influence que Jasper exerce sur elle. Vous l'avez vu par vous-même. "

Saul Arthur hocha la tête.

"Je ne comprends pas ce que c'est", a-t-il avoué. " Bien sûr, Jasper n'est pas un mauvais garçon. Il a des manières parfaites et est un charmant compagnon. Vous ne pensez pas... "

"Qu'il gagne sur ses mérites ?" Frank secoua la tête. "Non, en effet, je ne le fais pas. Il m'est difficile de discuter de mes affaires privées, et vous savez à quel point je suis réticent à le faire, mais vous savez aussi ce que je pense de May. J'espérais que nous allions y aller." retour à l'endroit où nous nous sommes arrêtés, et, bien qu'elle soit la gentillesse même, cette fille qui est plus pour moi que tout ou n'importe qui au monde, et qui était prête à m'épouser, et m'aurait épousé sans les machinations de Jasper, il faisait presque froid. »

Il marchait de long en large dans la pièce, et maintenant il s'arrêtait dans sa foulée et étendait désespérément les bras.

"Que dois-je faire ? Je ne peux pas la perdre. Je ne peux pas !"

Il y avait une férocité dans son ton qui révélait la profondeur de ses sentiments, et Saul Arthur Mann comprit.

"Je pense qu'il est trop tôt pour dire que tu l'as perdue, Frank", dit-il.

Il avait conçu une véritable affection pour Frank Merrill, et la période de tribulations par laquelle le jeune homme avait traversé avait accru le respect qu'il lui portait.

"Nous verrons la lumière dans les endroits sombres avant d'aller beaucoup plus loin", a-t-il déclaré. "Il y a quelque chose derrière ce crime, Frank, que je ne comprends pas, mais qui, j'en suis sûr, n'est pas un mystère pour vous. Je suis sûr que vous protégez quelqu'un, pour quelle raison je ne suis pas en mesure de le dire, mais J'irai au fond des choses."

Aucun événement dans la vie intéressante de ce petit homme, qui avait passé ses années à accumuler des faits, ne l'avait autant bouleversé et piqué que le meurtre de John Minute. L'affaire s'était terminée là où le procès l'avait laissé.

Crawley, qui aurait pu offrir un nouvel aspect à la tragédie, avait disparu aussi complètement que si la terre l'avait englouti. Les efforts les plus acharnés déployés par la police officielle, ajoutés aux enquêtes que Saul Arthur Mann avait menées de manière indépendante, n'avaient pas permis de retrouver l'ancien sergent de police en fuite. Il ne fallait évidemment pas le confondre avec Rex Holland. Il s'agissait d'une personnalité distincte travaillant peut-être en collusion, mais là s'arrêta l'association.

L'enquêteur avait pensé que Crawley avait peut-être accompagné Rex Holland dans sa fuite, mais les enquêtes les plus minutieuses qu'il avait menées à Montreux étaient infructueuses à cet égard comme à tous les autres.

Pour ajouter à sa perplexité, des enquêtes plus proches de chez lui le mettaient constamment sur la piste de Frank Merrill. C'était comme si le destin avait conspiré pour montrer le garçon sous le jour le plus sombre. Frank faisait office de secrétaire de son oncle, puis Jasper Cole était soudainement apparu sur les lieux, venu de nulle part en particulier. On avait laissé entendre assez vaguement qu'il venait de « l'étranger », et il était certain qu'il était arrivé à la suite de longues négociations que John Minute lui-même avait menées. Il s'agissait de négociations qui impliquaient des mois de correspondance, dont Frank n'avait vu aucune lettre de l'un ou de l'autre.

Pendant que le procès se déroulait, le petit homme avait recueilli pas mal d'informations, tant auprès de Frank que de la jeune fille, mais rien n'avait été aussi inexplicable que cette intrusion de Jasper Cole sur les lieux, ou l'extraordinaire mystère que John Minute avait fait de lui. ses fiançailles.

Il avait écrit et posté toutes les lettres à Jasper lui-même, et avait apparemment reçu les réponses, qu'il avait brûlées, à une autre adresse que Frank ignorait.

Jasper était venu, et puis un jour il y avait eu une dispute, non pas entre les deux jeunes hommes, mais entre Frank et son oncle. Ce fut une querelle singulièrement amère, et une fois de plus Frank refusa d'en discuter. Il laissa dans l'esprit de Saul Arthur l'impression qu'il en était, dans une certaine mesure, responsable. Et voici un autre fait qui a intrigué « L'Homme qui savait ». Le sergent Smith, tel qu'il était à l'époque, avait été, dans une certaine mesure, responsable. C'était Frank qui avait présenté le sergent à Eastbourne et l'avait amené chez son oncle. Mais ce n'était qu'un aspect du mystère. Il y en avait d'autres tout aussi obscurs.

Saul Arthur Mann retourna à son bureau et rassembla pour la vingtième fois les dossiers considérables qu'il avait accumulés relatifs à l'affaire et aux personnages, et les parcourut systématiquement et soigneusement.

Il quitta son bureau vers minuit, mais le lendemain matin à neuf heures, il était en route pour Eastbourne. Par chance, l'agent Wiseman profitait d'une journée de vacances et travaillait dans son potager lorsque la voiture de M. Mann s'est arrêtée devant le chalet. Wiseman reçut sa visite de façon importante car, même si le prestige du policier était considéré dans les cercles officiels comme ayant diminué à la suite du procès, les villageois pensaient que leur policier, s'il n'avait pas résolu le mystère de la mort de John Minute, avait au moins parcouru un long chemin vers sa solution.

Dans la pièce impeccable qui était à moitié cuisine et à moitié salon, avec son sol carrelé rouge recouvert de nattes brillantes, Mme Wiseman a sorti une chaise Windsor bien époussetée, qu'elle a mise à la disposition de Saul Arthur Mann avant de disparaître poliment. En très peu de mots, l'enquêteur a exposé sa mission et l'agent Wiseman a écouté dans un silence évasif. Lorsque son visiteur eut fini, il secoua la tête.

"La seule chose que je connais à propos du sergent", a-t-il déclaré, "je l'ai déjà dit au chef de la police qui était assis sur cette même chaise", a-t-il expliqué. « Il a toujours été un peu mystérieux – le sergent, je veux dire. Quand il était « tanké », si je peux utiliser l'expression, il vous racontait des histoires à l'heure, mais quand il était sobre, vous ne pouviez pas avoir d'information. mot de sa part. Sa fille n'a vécu avec lui qu'une quinzaine de jours.

"Sa fille!" dit rapidement M. Mann.

"Il avait une fille, comme j'en ai déjà informé mes supérieurs", a déclaré gravement l'agent Wiseman. "Plutôt une jolie fille. Je ne l'ai jamais beaucoup vue, mais elle est restée à Eastbourne de temps en temps pendant environ quinze jours après l'arrivée du sergent. C'est drôle, je connais le jour de son arrivée, parce que la roue de sa braguette s'est détachée. sur mon passage, et j'ai remarqué les circonstances conformément à la loi et j'ai rapporté la même chose. Je ne sais même pas si elle vivait avec lui. Il avait un chalet à Birlham Gap, et c'est là que je l'ai vue. Oui, elle "C'était une jolie fille", dit-il avec réminiscence ; "Une personne mince et élancée, très foncée et avec un teint de lait. Mais ils ne l'ont jamais trouvée", a-t-il déclaré.

Encore une fois, M. Mann l'interrompit.

"Tu veux dire la police ?"

L'agent Wiseman secoua la tête.

« Oh non », dit-il ; "ils la recherchent depuis des années, bien avant que M. Minute ne soit tué."

"Qui sont-ils'?"

"Eh bien, plusieurs personnes", dit lentement le constable. "Je sais que M. Cole voulait savoir où elle se trouvait. Mais il n'a commencé à chercher que des semaines après sa disparition. C'est très rhum", a réfléchi l'agent Wiseman, "la façon dont M. Cole a procédé " Il n'est pas venu directement nous voir pour nous demander de l'aide, mais il avait beaucoup de détectives privés qui fouinaient autour d'Eastbourne ; l'un d'eux se trouvait être un cousin de ma femme. Nous avons donc appris l'histoire. Cole a passé une beaucoup d'argent pour essayer de la retrouver, tout comme M. Minute.

Saul Arthur Mann aperçut une faible lueur de jour.

"M. Minute aussi?" Il a demandé. "Est-ce qu'il travaillait avec M. Cole ?"

"Pour autant que je sache, ils travaillaient tous les deux indépendamment l'un de l'autre : M. Cole et M. Minute", a expliqué M. Wiseman. "C'est ce que j'appelle un mystère dans le mystère, et cela n'a jamais été vraiment éclairci. Je pensais que quelque chose allait ressortir au procès, mais vous savez quel gâchis les avocats ont fait."

L'agent Wiseman était fermement convaincu que Frank Merrill s'était échappé grâce à l'incompétence des autorités de la Couronne, et il y eut des moments dans son entourage familial où il se montra amer et même insubordonné sur le sujet.

"Vous pensez toujours que M. Merrill était coupable ?" » demanda Saul Arthur Mann en prenant congé de l'autre.

"J'en suis aussi sûr que d'être ici", dit le connétable, non sans une certaine fierté de la cohérence de son point de vue. "Ne suis-je pas entré dans la pièce ? N'était-il pas là avec le défunt ? Son revolver n'a-t-il pas été retrouvé ? N'y a-t-il pas eu une pagaille avec ses livres à Londres ?"

Saul Arthur Mann sourit.

"Il y en a parmi nous qui pensent différemment, Constable", dit-il en serrant la main de l'implacable officier de justice.

Il rapporta à Londres quelques faits nouveaux à ajouter à son dossier du sergent Crawley, alias Smith, et sur ceux-ci il travailla minutieusement.

Comme nous l'avons déjà expliqué, Saul Arthur Mann entretenait des relations particulièrement utiles avec Scotland Yard et, heureusement, à cette époque, il entretenait d'excellents termes avec le quartier général de la police officielle, car il avait pu les aider à se rendre sur Terre. des gangs de chantage les plus puissants ayant jamais opéré en Europe. Ses dossiers avaient été si bien exploités que la police avait obtenu des condamnations contre les dix-sept membres du gang qui se trouvaient en Angleterre.

Il sollicita un entretien avec le commissaire en chef et, la nuit même, accompagné d'une petite armée de détectives, il procéda à une fouille systématique de Silvers Rents. La maison dans laquelle Jasper Cole avait été vu entrer fut de nouveau perquisitionnée, et encore une fois sans résultat. La maison était vide, à l'exception d'une pièce, une grande pièce simplement meublée d'un lit gigogne, d'une table, d'une chaise, d'une lampe et d'un bout de tapis. Il y avait quatre pièces : deux à l'étage, qui n'ont jamais été utilisées, et deux au rez-de-chaussée.

Au bout d'un couloir se trouvait une cuisine, elle aussi vide, à l'exception d'une échelle en bambou. De la cuisine, une porte verrouillée donnait sur un petit carré de cour séparé par trois murs de cours de dimensions similaires à gauche et à droite et au fond des locaux. À l'arrière de Silvers Rents se trouvait Royston Court, qui était une autre impasse, parallèle à Silvers Rents.

M. Mann retourna à la maison et fouilla de nouveau les pièces à l'étage, cherchant particulièrement une trappe, car l'échelle de bambou suggérait une telle sortie. Mais cette fois, il a complètement échoué. Jasper Cole, découvrit-il, n'avait effectué qu'une seule visite à la maison depuis la mort de John Minute.

C'est un fait curieux, qui montre l'intérêt localisé, que Silvers Rents ne savait rien de ce qui s'était passé presque à ses portes, et, bien qu'il ait au bout de ses doigts tous les potins des quais et des Thames Iron Works, il était profondément ignorant de ce qu'était la propriété commune à Royston Court. Il est encore plus remarquable que Saul Arthur Mann et son escadron de détectives aient limité leurs enquêtes à Silvers Rents.

L'enquêteur était déconcerté et déçu, mais par le plus étrange des hasards, il allait découvrir encore un autre fil du mystère Minute, un fil qui, cependant, devait le conduire dans un labyrinthe toujours plus profond que celui qu'il avait déjà et ainsi tenté sans succès de pénétrer.

Trois jours après sa perquisition chez Silvers Rents, des affaires ont emmené M. Mann à Camden Town. Pour être exact, il s'était rendu à la demande de la police à la prison de Holloway pour voir un prisonnier qui avait présenté un témoignage de l'État sur une question qui intéressait également la police et M. Mann. Très bêtement, il avait renvoyé son taxi, et lorsqu'il sortit des portes, il n'y avait aucun moyen de transport en vue. Il décida de marcher plutôt que de prendre les tramways qui l'auraient conduit à King's Cross et, comme il détestait les routes principales, il avait pris un raccourci qui, comme il le savait, le mènerait à Hampstead Road.

Il se retrouva ainsi à Flowerton Road, une artère de maisons individuelles respectables occupées par le type industriel supérieur. Il avançait à grands pas, balançant son parapluie et fredonnant, comme à son habitude, une interprétation non musicale d'un air populaire, lorsque son attention fut attirée par un spectacle qui lui coupa le souffle et l'arrêta.

Il était cinq heures et demie et c'était ennuyeux, mais sa vue était excellente et il lui était impossible de se tromper. Les maisons de Flowerton Road sont en retrait et sont séparées du trottoir par de petits jardins. On accède aux portes d'entrée par six ou sept marches, et c'est au sommet d'un de ces étages, devant une porte ouverte, que s'est déroulée la scène qui a immobilisé M. Mann.

Les personnages étaient un jeune homme et une fille. La jeune fille était extrêmement jolie et très pâle. L'homme était le double exact de Frank Merrill. Il était vêtu d'un costume en tweed grossier et portait un chapeau en feutre doux à bord assez large. Mais ce n'est pas l'apparition de cette apparition remarquable qui a surpris l'enquêteur. C'était l'attitude des deux personnes. La jeune fille suppliait visiblement son compagnon. Saul Arthur Mann était trop loin pour entendre ce qu'elle disait, mais il vit le jeune homme se détacher de la jeune fille. Elle saisit de nouveau son bras et leva son visage d'un air implorant.

M. Mann haleta, car il vit la main du jeune homme se lever et la repousser dans la maison. Puis il saisit la porte, la frappa sauvagement, descendit les escaliers et, se retournant, s'éloigna précipitamment.

L'enquêteur se tenait comme s'il était cloué sur place et, avant qu'il ait pu se ressaisir, l'homme avait tourné au coin de la route et était hors de vue. Saul Arthur Mann ôta son chapeau et s'essuya le front. Toute son initiative était pour le moment paralysée. Il se dirigea lentement vers le portail et hésita. Quelle excuse pourrait-il avoir pour appeler ? Si c'était Frank, assurément ses propres opinions étaient toutes fausses, et le mystère était encore plus grand.

Ses énergies ont commencé à se réveiller. Il nota le numéro de la maison et se précipita à la suite du jeune homme. Lorsqu'il tourna au coin de la rue , sa proie avait disparu. Il se précipita vers le virage suivant, mais sans atteindre l'objet de sa poursuite. Heureusement, à ce moment-là, il trouva un taxi vide et l'héla.

"Grimm's Hotel, Jermyn Street", a-t-il réalisé.

Il pouvait au moins satisfaire son esprit sur un point.

CHAPITRE XV

UNE LETTRE DANS LA GRILLE

L'hôtel Grimm est en réalité un immeuble d'appartements auquel est rattaché un restaurant. Le restaurant n'est guère plus qu'une cuisine d'où les repas sont servis aux résidents dans leur chambre. La suite de Frank était au troisième étage, et M. Mann, payant son cocher, se précipita dans le hall, monta dans l'ascenseur automatique, appuya sur le bouton et fut déposé à la porte de Frank. Il frappa avec une appréhension nauséabonde à l'idée qu'il n'y aurait pas de réponse. À sa grande joie et stupéfaction, il entendit le pas ferme de Frank dans le petit couloir de son appartement et la porte s'ouvrit. Frank était en train de s'habiller pour le dîner.

"Entrez, SAM," dit-il gaiement, "et dites-moi toutes les nouvelles."

Il nous conduisit vers sa chambre et reprit la tâche délicate de nouer le nœud de sa robe.

"Depuis combien de temps êtes-vous ici?" » a demandé M. Mann.

Frank le regarda d'un air interrogateur.

"Depuis combien de temps suis-je ici ?" Il a répété. "Je ne peux pas vous dire l'heure exacte, mais je suis ici peu de temps après le déjeuner."

M. Mann était déconcerté et toujours pas convaincu.

"Quels vêtements as-tu enlevés ?"

Ce fut au tour de Frank de paraître étonné et déconcerté.

"Vêtements?" Il a répété. « Qu'est-ce que tu veux dire, mon cher ? »

"Quel costume portiez-vous aujourd'hui ?" insista Saul Arthur Mann.

Frank disparut dans sa loge et en sortit avec un paquet roulé qu'il laissa tomber sur une chaise. C'était le costume bleu qu'il affectait habituellement.

"Maintenant, quelle est la blague ?"

"Ce n'est pas une blague", dit l'autre. « J'aurais juré de t'avoir vu il y a moins d'une demi-heure à Camden Town.

"Je ne prétendrai pas que je ne sais pas où se trouve Camden Town", sourit Frank, "mais je n'ai pas visité cette localité intéressante depuis de nombreuses années."

Saul Arthur Mann resta silencieux. Il était évident pour lui que quel que soit l'occupant du 69 Flowerton Road, ce n'était pas Frank Merrill. Frank a écouté le récit avec intérêt.

"Vous vous êtes probablement trompé ; la lumière vous a joué un tour, j'imagine", dit-il.

Mais M. Mann a été catégorique.

"J'aurais pu prêter serment devant un tribunal que c'était vous", a-t-il déclaré.

Frank regardait par la fenêtre.

"Comme c'est curieux !" réfléchit-il. "Je suppose que je ne peux pas très bien poursuivre un homme parce qu'il me ressemble, pauvre fille !"

"A qui penses-tu ?" demanda l'autre.

"Je pensais à la malheureuse", répondit Frank. "Quelles brutes il y a dans le monde !"

"Vous m'avez fait une terrible frayeur", avoua son ami.

Le rire de Frank était fort et chaleureux.

"Je suppose que vous m'avez vu comparaître devant un tribunal, accusé de voies de fait simples", a-t-il déclaré.

" J'ai vu plus que cela, " dit gravement l'autre, " et je vois plus que cela maintenant. Supposons que vous ayez un double, et supposons que ce double travaille en connivence avec vos ennemis. "

Frank secoua la tête avec lassitude.

« Mon cher ami, dit-il avec un petit sourire, je suis fatigué de supposer des choses. Viens dîner avec moi.

Mais M. Mann avait un autre engagement. De plus, il voulait réfléchir.

Réfléchir était un processus qui n'apportait que peu de récompense dans ce cas, et il se coucha ce soir-là en homme contrarié et perplexe. Il prenait toujours son petit déjeuner au lit à dix heures du matin, car il avait atteint l'âge des habitudes et avait fixé dix heures, car cela donnait à ses employés le temps de ramener son courrier personnel du bureau à son domicile. résidence.

C'était un courrier rentable, passionnant et plein de promesses, car il comprenait une lettre du gendarme Wiseman :

CHER MONSIEUR : Concernant notre conversation précédente, je viens de tomber sur l'une des photographies de la jeune femme, la fille du sergent Smith. Il a été remis au détective privé qui la recherchait. Il a été offert à ma femme par sa cousine, et je vous l'envoie en espérant qu'il puisse vous être utile.

Respectueusement votre,

PETER JOHN WISEMAN.

La photographie était enveloppée dans un morceau de papier de soie et Saul Arthur Mann l'ouvrit avec empressement. Il regarda la carte oblongue et haleta, car la fille qui y était représentée était la fille qu'il avait vue sur les marches du 69 Flowerton Road.

Un message téléphonique préparait Frank à la nouvelle, et une heure plus tard, les deux hommes étaient ensemble dans le bureau du bureau.

"Je vais dans cette maison pour voir la fille", a déclaré Saul Arthur Mann. "Viendras-tu ?"

"Avec tout le plaisir de la vie", a déclaré Frank. " Curieusement, je suis aussi désireux de la retrouver que vous. Je me souviens très bien d'elle, et une des querelles que j'ai eues avec mon oncle était due à elle. Elle était venue à la maison de la part de son père, et je Je pensais que mon oncle la traitait plutôt brutalement.

"Le point numéro un a été éclairci", pensa Saul Arthur Mann.

"Puis elle a disparu," continua Frank, "et Jasper est entré en scène. Il y avait une certaine association entre cette fille et Jasper, que je n'ai jamais pu comprendre. Tout ce que je sais, c'est qu'il s'intéressait énormément à elle et a essayé de la retrouver et, autant que je me souvienne, il n'a jamais réussi.

La voiture de M. Mann était devant la porte et, quelques minutes plus tard , ils furent déposés devant l'extérieur élégant du numéro 69.

La porte fut ouverte par une servante, qui regardait tour à tour Saul Arthur Mann et son compagnon.

"Il y a une dame qui vit ici", a déclaré M. Mann.

Il a réalisé la photographie.

"C'est la dame ?"

La fille hocha la tête, regardant toujours Frank.

"Je veux la voir."

"Elle est partie", dit la jeune fille.

"Vous me regardez très attentivement", a déclaré Frank. "M'as-tu déjà vu auparavant ?"

"Oui, monsieur", dit la jeune fille; "Vous aviez l'habitude de venir ici, ou un gentleman très semblable à vous. Vous êtes M. Merrill."

"C'est mon nom", sourit Frank, "mais je ne pense pas être déjà venu ici auparavant."

"Où est passée la dame ?" » demanda Saul Arthur.

"Elle y est allée hier soir. Elle a pris tous ses cartons et est partie en taxi."

« Est-ce que quelqu'un vit dans la maison ?

"Non, monsieur", dit la jeune fille.

« Depuis combien de temps êtes-vous en service ici ?

"Environ une semaine, monsieur", répondit la jeune fille.

"Nous sommes ses amis", a déclaré Saul Arthur sans vergogne, "et on nous a demandé d'appeler pour voir si tout allait bien."

La jeune fille hésita, mais Saul Arthur Mann, avec cet air d'autorité qu'il prenait si facilement, la dépassa et commença à inspecter la maison.

C'était meublé simplement, mais le mobilier était bon.

"Apparemment, le faux M. Merrill avait beaucoup d'argent", a déclaré Saul Arthur Mann.

Il n'y avait ni photographies ni papiers visibles jusqu'à ce qu'ils arrivent dans la chambre où, dans la cheminée, se trouvait une feuille de papier déchirée portant quelques lignes d'écriture fine, que M. Mann a immédiatement annexée. Avant de partir, Frank demanda à nouveau à la jeune fille :

"Est-ce que le monsieur qui vivait ici me ressemblait vraiment ?"

"Oui, monsieur", dit le petit esclave.

"Regarde-moi bien", dit Frank avec humour, et la jeune fille le regarda à nouveau.

"Quelque chose comme toi", a-t-elle admis.

« Est-ce qu'il parlait comme moi ?

"Je ne l'ai jamais entendu parler, monsieur", a déclaré la jeune fille.

"Dites-moi ", dit Saul Arthur Mann, "était-il gentil avec sa femme ?"

Un léger sourire apparut sur le visage du petit serviteur.

"Ils ramaient toujours", a-t-elle admis. "Il était un tyran et elle avait peur de lui. Êtes-vous la police ?" » demanda-t-elle avec un intérêt soudain.

Frank secoua la tête.

"Non, nous ne sommes pas la police."

Il donna à la jeune fille une demi-couronne et descendit les marches devant son compagnon.

"C'est plutôt gênant si j'ai un double qui intimide sa femme et qui vit à Camden Town", a-t-il déclaré alors que la voiture revenait au bureau de la ville en bourdonnant.

Saul Arthur Mann resta silencieux pendant le voyage et ne répondit que par monosyllabes.

De nouveau dans l'intimité de son bureau, il prit la lettre déchirée et la reconstitua soigneusement sur son bureau. Il ne portait aucune adresse, et il n'y avait pas de préliminaires affectueux :

> Vous devez quitter Londres. Saul Arthur Mann vous a vu
> tous les deux aujourd'hui. Allez à l'ancien endroit et
> attendez les instructions.

Il n'y avait pas de signature, mais de l'autre côté de la table, les deux hommes se regardèrent, car l'écriture était celle de Jasper Cole.

CHAPITRE XVI

L'ARRIVÉE DU SERGENT SMITH

À ce moment-là, Jasper Cole marchait péniblement dans la neige jusqu'au petit châlet que May Nuttall avait pris sur le flanc de la montagne surplombant Chamonix. Le traîneau qui l'avait amené de la gare était au pied de la colline. May l'a vu depuis la véranda et lui a adressé un roucoulement de bienvenue. Il écrasa la neige de ses bottes et gravit les marches de la véranda pour aller à sa rencontre.

"C'est une très agréable surprise", dit-elle en lui tendant ses deux mains et en le regardant avec approbation. Il avait perdu une grande partie de sa pâleur et son visage était bronzé et sain, quoique un peu finement dessiné.

"C'était plutôt une chose folle à faire, n'est-ce pas ?" a-t-il avoué avec regret.

"Tu es un célibataire tellement confirmé, Jasper, que je crois que tu détestes faire quoi que ce soit en dehors de ta routine habituelle. Pourquoi es-tu venu de la Hollande jusqu'en Haute Savoie ?"

Il l'avait suivie dans le salon chaleureux et confortable et réchauffait ses doigts glacés près du grand feu de bois qui brûlait dans l'âtre.

"Peux-tu demander ? Je suis venu te voir."

"Et comment se déroulent toutes les expériences ?"

Elle le tourna vers un autre sujet en toute hâte.

"Il n'y a eu aucune expérience depuis le mois dernier ; du moins pas le genre d'expériences dont vous parlez. Celle dans laquelle j'ai participé a été très réussie."

"Et qu'est-ce que c'était ?" » demanda-t-elle curieusement.

"Je vous le dirai un de ces jours", dit-il.

Il séjournait à l'Hôtel des Alpes et espérait passer une semaine à Chamonix. Ils discutèrent du temps, des premières neiges qui avaient recouvert la vallée d'un manteau blanc, du comportement alléchant du Mont Blanc, invisible depuis l'arrivée de mai, des premières avalanches qui le réveillaient avec leur tonnerre. la nuit de son arrivée, de la douce route d'Argentières, des villages du col de Balme ensevelis sous la neige, du vert étincelant et éthéré du grand glacier, de tout sauf de ce qui était le plus proche de leurs pensées et à leur cœur.

Jasper a brisé la glace en faisant référence à la visite de Frank à Genève.

"Comment le savais-tu ?" » demanda-t-elle, soudain grave.

"Quelqu'un me l'a dit " , dit-il avec désinvolture.

"Jasper, as-tu déjà été à Montreux ?" » demanda-t-elle en le regardant droit dans les yeux.

"Je suis allé à Montreux, ou plutôt à Caux ", a-t-il déclaré. "C'est le village sur la montagne au-dessus, et il faut passer par Montreux pour y accéder. Pourquoi tu as demandé ?"

Un frisson soudain s'était abattu sur elle, dont elle ne se débarrassait pas ce jour-là ni le lendemain.

Ils firent ensemble les excursions habituelles, gravirent les pentes boisées de la Butte et, le troisième matin après son arrivée, se retrouvèrent ensemble dans l'aube claire et regardèrent les premiers rayons roses du soleil frapper le sommet bossu du Mont Blanc.

"N'est-ce pas glorieux ?" elle a chuchoté.

Il acquiesca.

La beauté sereine de tout cela, la pureté, l'éloignement majestueux des montagnes la déprimaient et l'exaltaient à la fois, la rapprochaient de la sublimité des vérités antiques, la nettoyaient des petites craintes. Elle se tourna vers lui à l'improviste et lui demanda :

« Jasper, qui a tué John Minute ?

Il ne répondit rien. Ses yeux mélancoliques étaient fixés avec avidité sur les gloires de la lumière et de l'ombre, de l'espace, de l'inaccessibilité, de la pureté, de la couleur, de tout ce que l'aube sur le Mont Blanc comprenait. Lorsqu'il parla, sa voix était presque réduite à un murmure.

"Je sais que l'homme qui a tué John Minute est vivant et libre", a-t-il déclaré.

"Qui était-il?"

"Si vous ne le savez pas maintenant, vous ne le saurez peut-être jamais", a-t-il déclaré.

Il y eut un silence qui dura cinq bonnes minutes, et la lumière cramoisie au sommet de la montagne était devenue jaune citron.

Puis elle demanda à nouveau :

"Etes-vous directement ou indirectement coupable ?"

Il secoua la tête.

"Ni directement ni indirectement", dit-il brièvement, et la minute suivante, elle était dans ses bras.

Il n'y avait eu aucune parole d'amour entre eux, aucun passage tendre, aucune lettre que le monde ne puisse lire. C'était un amour qui avait commencé là où d'autres amours se terminaient : dans la conquête et dans l'abandon. De cette manière étrange, au-delà de toute compréhension, May Nuttall s'est fiancée et l'a annoncé dans la plus brève des lettres à ses amis.

Quinze jours plus tard, la jeune fille arriva en Angleterre et fut accueillie à Charing Cross par Saul Arthur Mann. Elle était radieuse de bonheur et débordante de bonne humeur, image de santé et de beauté.

Tout cela, M. Mann observait le cœur serré. Il avait un devoir à accomplir, et ce devoir n'était pas agréable. Il savait qu'il était inutile de raisonner la fille. Il ne pouvait lui proposer que des théories et des soupçons à moitié formés, mais il avait au moins un atout. Il se demandait s'il devait jouer ce jeu, car ici aussi, ses informations étaient des plus limitées. Il rapporta son récit de la jeune fille à Frank Merrill.

"Mon cher Frank, elle est tout simplement entichée", dit le petit homme désespéré. "Oh, si seulement mon dossier infernal était terminé , je pourrais la convaincre en une seconde ! Il n'y a aucune enquête que j'aie jamais entreprise qui ait été aussi décevante."

"On ne peut rien faire ?" » demanda Frank, « Je n'arrive pas à croire que cela puisse arriver. Épouse Jasper ! Grand César ! Après tout... »

Sa voix était rauque. La main qu'il leva en signe de protestation trembla.

Saul Arthur Mann se gratta le menton d'un air pensif.

"Supposons que vous la voyiez", suggéra-t-il, et il ajouta d'un ton un peu sombre : "Je verrai M. Cole en même temps."

Frank hésita.

"Je peux comprendre votre réticence", poursuivit le petit homme, "mais l'enjeu est trop important pour permettre à vos sentiments les plus fins de vous arrêter. Cette affaire doit être évitée à tout prix. Nous luttons pour gagner du temps. Dans un mois, peut-être moins, nous aurons peut-être tous les faits entre nos mains. »

"Avez-vous découvert quelque chose sur la fille de Camden Town ?" demanda Franck.

"Elle a complètement disparu", répondit l'autre. "Tous les indices que nous avons eu n'ont mené nulle part."

Cet après-midi-là, Frank s'habilla avec un soin inhabituel et, après avoir téléphoné et obtenu la permission de la jeune fille, il se présenta à la minute près. Elle était, comme d'habitude, la cordialité même.

"J'ai été plutôt blessée que tu n'aies pas appelé plus tôt, Frank", dit-elle. "Tu es venu me féliciter ?"

Elle le regarda droit dans les yeux en disant cela.

"Tu ne peux guère t'attendre à ça, May," dit-il doucement, "sachant combien tu es pour moi et à quel point je te désirais. Honnêtement, je ne peux pas le comprendre, et je ne peux que supposer que toi, que j'aime plus que tout, dans le monde - et vous comptez plus pour moi que tout autre être - partagez les soupçons qui m'entourent comme un nuage de poison.

"Pourtant, si je partageais ces soupçons", dit-elle calmement, "vous laisserais-je me voir ? Non, Frank, j'étais un enfant quand... vous savez. C'était il y a seulement quelques mois, mais je crois... en effet, je sais... " Cela aurait été la plus grande erreur que j'aurais pu commettre. J'aurais dû être une femme très malheureuse, car j'ai toujours aimé Jasper. "

Elle a dit cela d'une manière neutre, sans aucune manifestation d'émotion ni de gêne. Frank, racontant l'interview de Saul Arthur Mann, a décrit le discours comme presque mécanique.

« J'espère que vous comprendrez bien, poursuivit-elle, que nous serons de si bons amis comme nous l'avons toujours été, et que même le souvenir de la mort de votre pauvre oncle et de l'horrible procès qui a suivi et de la partie que Jasper a joué ne gâchera pas notre amitié.

"Mais tu ne vois pas ce que cela signifie pour moi ?" » éclata-t-il, et pendant une seconde ils se regardèrent, et Frank devina ses pensées et grimaça.

« Je sais à quoi vous pensez, » dit-il d'une voix rauque ; "Vous pensez à toutes les choses bestiales qui ont été dites lors du procès, à savoir que si je vous avais gagné , j'aurais gagné tout ce que j'essayais de gagner."

Elle est devenue rouge.

"C'était horrible de ma part, n'est-ce pas ?" elle a avoué. "Et pourtant cette idée m'est venue. On ne peut pas contrôler ses pensées, Frank, et tu dois être content de savoir que je crois en ton innocence. Il y a des pensées qui fleurissent dans l'esprit comme de la mauvaise herbe, et qui refusent d'être déracinées. Ne me blâmez pas si je me souviens des paroles de l'avocat : c'était une pensée involontaire et haineuse. »

Il inclina la tête.

" Il y a une autre pensée qui n'est pas involontaire, poursuivit-elle, et c'est parce que je veux conserver notre amitié et que je veux que tout continue comme d'habitude que je vous pose une question. Votre vingt-quatrième anniversaire est arrivé. et parti ; vous m'avez dit que le dessein de votre oncle était de vous garder célibataire jusqu'à ce jour. Vous n'êtes toujours pas marié et votre vingt-quatrième anniversaire est passé. Que s'est-il passé ?"

"Beaucoup de choses se sont produites", répondit-il doucement. "Mon oncle est mort. Je suis un homme riche en dehors du hasard de son héritage. Je pourrais vous rencontrer à des conditions égales."

"Je n'en savais rien", dit-elle rapidement.

Il haussa les épaules.

"Est-ce que Jasper ne te l'a pas dit ?" Il a demandé.

« Non, Jasper ne m'a rien dit.

Frank inspira longuement.

"Alors je peux seulement dire que tant que le mystère de la mort de mon oncle n'est pas résolu, vous ne pouvez pas le savoir", a-t-il déclaré. "Je ne peux que répéter ce que je vous ai déjà dit."

Elle lui tendit la main.

"Je te crois, Frank," dit-elle, "et j'avais tort de douter de toi, même le moins du monde."

Il lui prit la main et la tint.

"May," dit-il, "quelle est cette étrange fascination que Jasper a sur toi ?"

Pour la deuxième fois au cours de cette interview , elle rougit et retira sa main.

"Il n'y a rien d'inhabituel dans la fascination qu'exerce Jasper," sourit-elle, se remettant rapidement, presque contre sa volonté, du petit pincement de colère qu'elle ressentait. "C'est l'influence que chaque femme a ressentie et que vous ressentirez un jour."

Il rit amèrement.

"Alors rien ne te fera changer d'avis ?" il a dit.

"Rien au monde", répondit-elle avec insistance.

Pendant un instant, elle fut désolée pour lui, alors qu'il se tenait debout, les deux mains posées sur une chaise, les yeux rivés sur le sol, une image de désespoir, et elle s'avança vers lui et glissa son bras sous le sien.

"Ne le prends pas si mal, Frank," dit-elle doucement. "Je suis une fille capricieuse et stupide, je le sais, et je ne vaux vraiment pas un instant de souffrance."

Il se secoua, ramassa son chapeau, son bâton et son pardessus et lui tendit la main.

« Au revoir, dit-il, et bonne chance !

Entre- temps , une autre entrevue d'un tout autre caractère se déroulait dans la petite maison qu'occupait Jasper Cole sur Portsmouth Road. Jasper et Saul Arthur Mann s'étaient déjà rencontrés, mais c'était la première visite que l'enquêteur rendait au domicile de l'héritier de John Minute.

Jasper attendait à la porte pour saluer le petit homme à son arrivée, et lui avait offert un accueil calme mais chaleureux et lui avait ouvert la voie vers le magnifique bureau qui était à moitié un laboratoire, qu'il s'était construit depuis la mort de John Minute.

"J'arrive droit au but sans tourner autour du pot, M. Cole", dit le petit homme en déposant son sac sur le côté de sa chaise et en l'ouvrant d'un coup sec. "Je vais vous dire franchement que j'agis au nom de M. Merrill et que j'agis également, comme je le crois, dans l'intérêt de la justice."

"Vos motivations, en tout cas, sont admirables," dit Jasper, repoussant les papiers qui jonchaient sa grande table de bibliothèque et s'asseyant sur le bord.

"Vous savez probablement que vous êtes dans une certaine mesure soupçonné, M. Cole."

« Sous vos soupçons ou sous les soupçons des autorités ? demanda froidement l'autre.

"Sous le mien", dit Saul Arthur Mann avec insistance. "Je ne peux pas parler au nom des autorités."

« Dans quelle direction vont ces soupçons ?

Il enfonça profondément ses mains dans les poches de son pantalon et regarda l'autre attentivement.

"Mon premier soupçon est que vous savez parfaitement qui a assassiné John Minute."

Jasper Cole hocha la tête.

"Je sais parfaitement qu'il a été assassiné par votre ami, M. Merrill", a-t-il déclaré.

"Je suggère", dit calmement Saul Arthur Mann, "que vous connaissez le meurtrier, et que vous savez que le meurtrier n'était *pas* Frank Merrill."

Jasper ne répondit rien, et un léger sourire apparut pendant une seconde au coin de sa bouche, mais il ne donna aucun autre signe de ses sentiments intérieurs.

"Et l'autre point que vous souhaitez soulever ?" Il a demandé.

"L'autre est un sujet plus délicat, puisqu'il s'agit d'une dame", dit le petit homme. "Vous êtes sur le point d'épouser Miss Nuttall."

Jasper Cole hocha la tête.

"Vous avez obtenu une influence extraordinaire sur la dame ces derniers mois ."

"Je l'espère", dit joyeusement l'autre.

"C'est une influence qui aurait pu être provoquée par des méthodes normales, mais c'en est aussi une", Saul Arthur se pencha et tapota la table avec insistance à chaque mot, "qui pourrait être obtenue par un chimiste très intelligent qui aurait trouvé un moyen de saper la volonté de sa victime.

"Par l'administration de médicaments ?" » demanda Jasper.

"Par l'administration de médicaments", répéta Saul Arthur Mann.

Jasper Cole sourit.

"J'aimerais connaître la drogue", dit-il. "On ferait fortune, sans parler de profiter extraordinairement à l'humanité par son emploi. Par exemple, je pourrais vous en donner une dose et vous me diriez tout ce que vous savez; on me dit que vos connaissances sont assez étendues, ", a-t-il plaisanté. « Sûrement vous, M. Mann, avec votre remarquable collection d'informations sur tous les sujets qui existent sous le soleil, ne suggérez pas qu'un tel médicament existe ? »

« Au contraire, dit triomphalement L'Homme qui savait, on le connaît et on l'emploie. On le connaissait déjà au temps des Borgia. On l'employait en France au temps de Louis XVI. a été, dans une certaine mesure, redécouvert et utilisé dans des asiles d'aliénés pour calmer des patients dangereux.

Il vit l'intérêt s'approfondir dans les yeux de l'autre.

"Je n'ai jamais entendu parler de ça," dit lentement Jasper; "le seul médicament employé à cet effet est, autant que je sache, le bromure de potassium."

M. Mann a sorti un bout de papier et a lu une liste de noms, pour la plupart des établissements psychiatriques aux États-Unis d'Amérique et en Allemagne.

"Oh, cette drogue !" dit Jasper Cole avec mépris. "Je sais à quoi cela sert. Il y avait un article sur le sujet dans le *British Medical Journal* il ya trois mois. Il s'agit d'une sorte modifiée de « sommeil crépusculaire » : hyocine et morphie. Je crains, M. Mann, poursuivit-il, que vous ayez entrepris une mission infructueuse et, parlant en humble étudiant en sciences, je peux suggérer sans offenser que vos théories sont totalement fantastiques.

"Alors je vais vous faire une autre suggestion, M. Cole," dit le petit homme sans ressentiment, "et pour moi, cela constitue la principale raison pour laquelle vous ne devriez pas épouser la dame dont je jouis de la confiance et qui, j'en suis sûr, le fera. être influencé par mes conseils.

"Et qu'est ce que c'est que ça?" » demanda Jasper.

"Cela affecte votre propre caractère, et c'est par conséquent une question très embarrassante pour moi d'en discuter", a déclaré le petit homme.

Encore une fois , l'autre le favorisa de son sourire impénétrable.

"Mon caractère moral, je présume, est maintenant attaqué", a-t-il déclaré avec désinvolture. "S'il vous plaît, continuez, vous promettez d'être intéressant."

« Vous étiez en Hollande il y a peu de temps. Miss Nuttall le sait-elle ?

Jasper hocha la tête.

"Elle en est bien consciente."

"Vous étiez en Hollande avec une dame", accusa lentement M. Mann. "Est-ce que Miss Nutall est également au courant de ce fait ?"

Jasper glissa de la table et se redressa. À travers ses paupières étroites, il regardait son accusateur.

"C'est tout ce que tu sais ?" » demanda-t-il doucement.

"Pas tout, mais une des choses que je sais", rétorqua l'autre. "Vous avez été vue en sa compagnie. Elle séjournait dans le même hôtel que vous comme "Mme Cole"."

Jasper hocha la tête.

"Vous m'excuserez si je refuse de discuter de cette question", a-t-il déclaré.

« Supposons que je demande à Miss Nuttall d'en discuter ? défia le petit homme.

"Vous êtes maître de vos actions", dit rapidement Jasper Cole, "et j'ose dire que si vous le jugez opportun, vous le lui direz, mais je peux vous promettre que, que vous le lui disiez ou non, j'épouserai Miss Nuttall."

Sur ce, il conduisit son visiteur à la porte et attendit à peine que la voiture parte pour fermer la porte derrière lui.

Tard dans la nuit, les deux amis se sont réunis et ont échangé leurs expériences.

"Je suis sûr qu'il y a vraiment quelque chose qui ne va pas", a déclaré Frank avec insistance. "Elle n'était pas elle-même. Elle parlait machinalement, presque comme si elle récitait une leçon. On avait le sentiment qu'elle était reliée par des fils à quelqu'un qui lui dictait chacun de ses mots et chacune de ses actions. C'est foutu, Mann. Que pouvons-nous faire ?"

"Nous devons empêcher le mariage", dit doucement le petit homme, "et employer tous les moyens que l'occasion suggère à cet effet. Ne vous y trompez pas", dit-il avec insistance ; "Cole ne recule devant rien. Son attitude était un gros bluff. Il sait que je l'ai battu. Ce n'est que par chance que j'ai découvert cette femme en Hollande. J'ai demandé à mon agent d'examiner le registre de l'hôtel, et là, il était, sans aucune tentative de déguisement : « M. et Mme Cole, de Londres. »

"La chose à faire est de voir May immédiatement", a déclaré Frank, "et de lui exposer tous les faits, même si je déteste l'idée ; cela ressemble à une furtivité."

« Se faufiler ! explosa Saul Arthur Mann. "Quelles bêtises vous dites ! Vous êtes trop plein de scrupules, mon ami, pour ce travail. Je la verrai demain."

"Je vais vous accompagner", dit Frank après un moment de réflexion. "Je n'ai aucune envie d'échapper à ma responsabilité dans cette affaire. Elle me détestera probablement pour mon ingérence, mais j'ai dépassé le point où je m'en soucie - tant qu'elle peut être sauvée."

Il fut convenu qu'ils se retrouveraient au bureau le matin et feraient leur chemin ensemble.

"N'oubliez pas ceci", dit Mann sérieusement avant de se séparer, "si Cole découvre que le jeu est terminé , il ne reculera devant rien."

"Pensez-vous que nous devrions prendre des précautions ?" demanda Franck.

"Honnêtement, oui", a avoué l'autre, "je ne pense pas que nous puissions avoir les hommes du Yard, mais il y a une très excellente agence qui travaille parfois pour moi, et ils peuvent fournir une garde pour la fille."

"J'aimerais que vous preniez contact avec eux", a déclaré Frank avec sérieux. "Je suis malade d'inquiétude à cause de cette affaire. Elle ne doit jamais être laissée hors de leur vue. Je vais voir si je peux parler à sa femme de chambre, afin que nous sachions quand elle sort. Il devrait y avoir un homme sur une moto attendant toujours le Savoy pour la suivre partout où elle va.

Ils se séparèrent à l'entrée du bureau, Saul Arthur Mann revenant téléphoner pour leur donner les instructions nécessaires. Leur nécessité fut prouvée le soir même.

À neuf heures, May était assise pour un dîner solitaire lorsqu'un télégramme lui fut remis. C'était du chef de la petite mission à laquelle elle s'était intéressée, et il disait :

> Très urgent. J'ai quelque chose de la plus haute importance
> à vous dire.

Il était signé du nom de la directrice de la mission et, laissant son dîner intact, May n'a attendu que le temps de changer de robe avant de prendre un taxi à toute vitesse vers l'est.

Elle arriva au « hall », qui était le quartier général de la mission, et le trouva dans l'obscurité. Un homme qui était manifestement un nouvel assistant attendait sur le pas de la porte et s'adressa à elle.

" Vous êtes Miss Nuttall, n'est-ce pas ? C'est ce que je pensais. La matrone est descendue à Silvers Rents et elle m'a demandé de vous accompagner. "

La jeune fille congédia le taxi et, en compagnie de son guide, parcourut l'étroit enchevêtrement de rues entre la mission et Silvers Rents. Elle était à mi-chemin dans une des artères mal éclairées lorsqu'elle remarqua qu'au bord de la route se trouvait une grosse et belle automobile, et elle se demanda ce qui avait amené cette preuve de vie luxueuse dans les rues mesquines de Canning Town. Elle ne resta pas dans le doute très longtemps, car alors qu'elle s'approchait des lumières et protégeait ses yeux de leur éclat, ses bras étaient fermement saisis, un châle était jeté sur sa tête, et elle était soulevée et poussée dans l'intérieur de la voiture. Une main lui serra la gorge.

"Tu cries et je te tue !" lui siffla une voix à l'oreille.

À ce moment-là, la voiture démarra et la jeune fille, avec un cri qui lui resta étranglé dans la gorge, tomba évanouie sur le siège.

May a repris conscience et a découvert que la voiture se précipitait toujours dans l'obscurité et que la main de son ravisseur était toujours posée sur sa gorge.

"Soyez une fille sensée", dit une voix étouffée, "et faites ce qu'on vous dit et il ne vous arrivera aucun mal."

Il faisait trop sombre pour voir son visage, et il était évident que même s'il y avait de la lumière, le visage était si bien caché qu'elle ne pouvait pas reconnaître celui qui parlait. Puis elle se souvint que cet homme, qui lui avait servi de guide, avait pris soin de se tenir à l'ombre de la moindre lumière pendant qu'il la conduisait, comme il disait, à la matrone.

"Où m'emmenez-vous?" elle a demandé.

"Vous le saurez avec le temps", fut la réponse évasive.

C'était une nuit folle ; la pluie éclaboussait les vitres de la voiture et elle entendait le vent hurler au-dessus du bruit des moteurs. Ils allaient évidemment à la campagne, car de temps en temps, à la lueur des lampes frontales, elle apercevait des haies et des arbres qui défilaient. Son ravisseur a soudainement baissé l'une des vitres et s'est penché dehors, donnant quelques instructions au conducteur. Elle devina ce qu'ils étaient, car les lumières s'éteignirent brusquement et la voiture roulait dans l'obscurité.

La jeune fille était paniquée à cause de toutes ses audaces. Elle savait que cet homme désespéré ne craignait pas les conséquences et que, si sa mort parvenait à ses fins et à celles de ses partenaires, sa vie était en péril imminent. Quelles étaient ces fins, se demanda-t-elle. Était-ce les mêmes hommes qui avaient tué John Minute ?

"Qui es-tu?" elle a demandé.

Il y eut un petit rire riant.

"Tu le sauras bien assez tôt."

Les mots étaient à peine sortis de sa bouche qu'il y eut un terrible accident. La voiture s'est arrêtée brusquement et s'est inclinée, et la jeune fille a été jetée à genoux. Toutes les vitres de la voiture étaient brisées et, vu l'angle sous lequel elles se trouvaient, il était évident que des dommages irrémédiables avaient été causés. L'homme s'est précipité, a ouvert la porte d'un coup de pied et a sauté.

"Porte du passage à niveau, monsieur", dit la voix du chauffeur. "Je me suis cassé le poignet."

Avec la disparition de son ravisseur, la jeune fille avait tâtonné pour trouver la fermeture de la porte opposée et l'avait tournée. À sa grande joie, il s'est ouvert en douceur et n'a visiblement pas été affecté par le bourrage. Elle sortit sur la route, tremblante de tous ses membres.

Elle sentit plutôt qu'elle ne vit la porte du passage à niveau et savait que d'un côté se trouvait une porte battante pour les passagers. Elle y est parvenue lorsque son ravisseur a découvert sa fuite.

"Revenir!" cria-t-il d'une voix rauque.

Elle a entendu un rugissement et a vu un clignotement de lumières et s'est enfuie en traversant la ligne juste au moment où un train express arrivait en direction du nord. Il l'a ratée de quelques centimètres et la force du vent l'a projetée au sol. Elle se releva, trébucha sur les rails restants et, atteignant la porte d'en face, s'enfuit sur la route sombre. Elle avait gagné exactement le temps que mettait le train à passer. Elle courut aveuglément le long de la route sombre, glissant et trébuchant dans la boue, et elle entendit son poursuivant s'écraser dans la boue à l'arrière.

Le vent lui a décoiffé les cheveux, la pluie lui a frappé le visage, mais elle a trébuché. Soudain, elle glissa et tomba, et alors qu'elle luttait pour se relever, la main lourde de son poursuivant tomba sur son épaule, et elle cria à haute voix.

"Rien de tout ça", dit la voix, et sa main couvrit sa bouche.

À ce moment-là, une lumière vive les enveloppa tous deux, une lumière si intensément, d'une blancheur éblouissante, si inattendue qu'elle frappa la jeune fille presque comme un coup. Elle venait de quelque part à moins de deux mètres de là, et l'homme relâcha son emprise sur la jeune fille et regarda la lumière.

"Bonjour!" » dit une voix venue des ténèbres. "C'est quoi le jeu ?"

Elle était derrière l'homme et ne pouvait pas voir son visage. Tout ce qu'elle savait, c'est qu'une aide inattendue lui était envoyée par le Ciel, et elle s'efforçait de retrouver son souffle et sa parole.

"Tout va bien", grogna l'homme. "C'est une folle et je l'emmène à l'asile."

Soudain, la lumière fut poussée vers le visage de l'homme et une main lourde fut posée sur son épaule.

"Vous l'êtes, n'est-ce pas ?" dit l'autre. "Eh bien, je vais vous emmener dans un asile d'aliénés, sergent Smith ou Crawley ou quel que soit votre nom. Vous me connaissez ; je m'appelle Wiseman."

L'homme resta un moment comme pétrifié, puis, d'un sursaut soudain, il libéra sa main et se jeta sur le policier avec un cri de rage sauvage, et en une seconde les deux hommes se retournèrent dans l'obscurité. L'agent Wiseman n'était pas un enfant, mais il avait perdu son avantage initial et, au moment où il se relevait et retrouvait sa lampe électrique, Crawley avait disparu.

CHAPITRE XVII

L'HOMME APPELÉ "MERRILL"

"Si Wiseman ne pensait pas que vous étiez un meurtrier, je devrais le considérer comme un être intelligent", a déclaré Saul Arthur Mann.

« Est-ce qu'ils ont trouvé Crawley ? demanda Franck.

"Non, il s'est enfui. Le chauffeur et la voiture ont été loués dans un garage du West End, avec cette histoire d'un fou qui a dû être transféré dans un asile, et apparemment Crawley, ou Smith, était l'homme qui les avait embauchés. Il Il a même payé un petit supplément pour les dégâts que le prétendu fou aurait pu causer à la voiture. Le chauffeur dit qu'il avait des doutes et qu'il avait l'intention d'informer la police une fois arrivé à destination. à l'extérieur d'Eastbourne lorsque l'accident s'est produit. "L'Homme qui savait" fit une pause.

"Où a-t-il dit qu'il l'emmenait ?" il a demandé à Frank.

"On lui a dit de se rendre à Eastbourne, où des instructions plus détaillées lui seraient données. La police a confirmé son histoire et il a été libéré.

"Je viens juste de rentrer de mai", a déclaré Frank. « Elle n'a pas l'air plus mal après son aventure passionnante. J'espère que vous avez pris des dispositions pour qu'elle soit gardée ?

Saul Arthur Mann hocha la tête.

"Ce sera la dernière aventure de ce genre que tentera notre ami", a-t-il déclaré.

"Néanmoins, cela nous éclaire un peu. Nous savons que M. Rex Holland a un complice, et ce complice est le sergent Smith, nous pouvons donc présumer qu'ils étaient tous deux impliqués dans le meurtre. L'agent Wiseman a été convenablement récompensé, comme il le mérite bien. ", a déclaré Frank chaleureusement.

"Vous n'avez aucune méchanceté", sourit Saul Arthur Mann.

Frank rit et secoua la tête.

"Comment peut-on le faire ?" » demanda-t-il simplement.

May a eu un autre visiteur. Jasper Cole arriva précipitamment à Londres dès le premier signalement de l'outrage, mais fut rassuré par l'apparence de la jeune fille.

"C'était terriblement excitant", dit-elle, "mais en réalité, je ne suis pas très affligée ; en fait, je pense que j'ai l'air moins fatiguée que toi."

Il acquiesca.

"C'est tout à fait possible. Je ne me suis couché que très tard ce matin", a-t-il déclaré. "J'étais tellement absorbé par mon travail de recherche que je n'ai pas réalisé que c'était le matin jusqu'à ce qu'ils m'apportent mon thé."

"Tu n'es pas resté au lit de la nuit ?" dit-elle, choquée, et secoua la tête d'un air de reproche. "C'est une de vos habitudes de vie qu'il faudra changer", l'a-t-elle prévenu.

Jasper Cole n'a pas rejeté son expérience désagréable aussi légèrement qu'elle.

"Je me demande quel était le but de tout cela", dit-il, "et pourquoi ils vous ont ramené à Eastbourne ? Je pense que nous découvrirons que le quartier général de cette combinaison infernale se trouve quelque part dans le Sussex."

"M. Mann ne le pense pas", a-t-elle déclaré, "mais il pense que la voiture devait être accueillie par un autre à Eastbourne et que je devais être transférée. Il dit que l'idée de m'y emmener était de déstabiliser la police. l'odeur."

Elle frissonna.

"Ce n'était pas une expérience agréable", a-t-elle avoué.

L'entretien a eu lieu dans l'après-midi, soit environ deux heures après que Frank ait interviewé la jeune fille ; Saul Arthur Mann était allé à Eastbourne pour la ramener. Jasper s'était arrangé pour passer la nuit en ville et avait réservé deux stands à l'Hippodrome. Elle l'avait dit à Saul Arthur Mann, conformément à sa promesse de le tenir informé de ses déplacements, et elle fut donc surprise lorsque, une demi-heure plus tard, le petit enquêteur se présenta.

Elle l'a rencontré en présence de son fiancé, et Jasper savait clairement quelles étaient les intentions de Saul Arthur Mann.

« Je ne veux pas me gêner, dit-il, mais avant d'aller plus loin, Miss Nuttall, il y a certaines questions sur lesquelles vous devriez être informée. J'ai toutes les raisons de croire que je sais qui était responsable de l'attentat d'hier soir, et je n'ai pas l'intention de risquer une répétition.

"À votre avis, qui était responsable ?" demanda doucement la jeune fille.

"Je crois honnêtement que l'auteur est dans cette pièce", fut la réponse surprenante.

"Vous voulez dire moi?" » demanda Jasper Cole avec colère.

"Je veux dire vous, M. Cole. Je crois que vous êtes l'homme qui a planifié le coup d'État et que vous en êtes l'unique auteur", a déclaré l'autre.

La jeune fille le regarda avec étonnement.

"Vous ne pensez sûrement pas ce que vous dites."

"Je veux dire que M. Cole a toutes les raisons de vouloir vous épouser", a-t-il déclaré. "Quelle est cette raison, je ne la sais pas complètement, mais je la découvrirai. Je suis convaincu", continua-t-il lentement, "que M. Cole est déjà marié."

Elle les regarda tour à tour.

"Déjà marié?" répéta Jasper.

"S'il n'est pas déjà marié", a déclaré sans détour Saul Arthur Mann, "alors j'ai été indiscret. La seule chose que je peux vous dire, c'est que votre fiancé a voyagé sur le continent avec une dame qui se décrit comme Mme Cole. "

Jasper ne dit rien pendant un moment, mais regarda l'autre étrangement et pensivement.

« Je comprends, M. Mann, » dit-il longuement, « que vous collectionnez des faits comme d'autres collectionnent des timbres-poste ?

Saul Arthur Mann se hérissa.

« Vous pouvez réaliser ceci, monsieur, » commença-t-il, « si vous le pouvez… »

"Laissez-moi parler", dit Jasper Cole en élevant la voix. "Je veux vous demander ceci : avez-vous un compte rendu complet de la vie de John Minute ?"

"Je le connais si bien", a déclaré avec insistance Saul Arthur Mann, "que je pourrais répéter son histoire mot pour mot."

"Veux-tu t'asseoir, May ?" » dit Jasper, prenant la main de la jeune fille dans la sienne et la forçant doucement à s'asseoir. "Nous allons mettre à l'épreuve la mémoire de M. Mann."

"Voulez-vous sérieusement dire que vous voulez que je répète cette histoire ?" » demanda l'autre avec méfiance.

"Je veux dire exactement cela," dit Jasper, et il dressa une chaise pour son désagréable visiteur.

Le récit de la vie de John Minute sortait de la bouche de Mann de façon trépidante. Il connaissait à merveille les détails de cette carrière étrange et sauvage.

"En 1892", a déclaré l'enquêteur, poursuivant son récit, "il s'est marié à l'église St. Bride, à Port Elizabeth, avec Agnes Gertrude Cole."

"Cole," murmura Jasper.

Le petit homme le regardait la bouche ouverte.

"Cole ! Bon Dieu, tu es..."

"Je suis son fils," dit doucement Jasper. "Je suis l'un de ses deux enfants. D'après vos informations, il y en avait un. En fait, il y en avait deux. Ma mère a laissé mon père avec l'un des plus grands scélérats qui aient jamais vécu. Il l'a emmenée en Australie, où ma sœur est née six mois après avoir quitté John Minute. Là, son amie l'a abandonnée et elle a travaillé pendant sept ans comme femme de ménage, à Melbourne, afin d'économiser assez d'argent pour nous emmener au Cap. Ma mère a ouvert " J'ai acheté un salon de thé près d'Aderley Street et j'ai gagné suffisamment pour éduquer ma sœur et moi. C'est là qu'elle a rencontré Crawley, et Crawley a promis d'user de son influence auprès de mon père pour provoquer une réconciliation dans l'intérêt de ses enfants. Je ne sais pas ce que c'était le résultat de sa tentative, mais je suppose qu'elle n'a pas abouti et que les choses ont continué comme avant.

"Puis un jour, alors que j'étais encore au South African College, ma mère est rentrée chez elle, emmenant ma sœur avec elle. J'ai des raisons de croire que Crawley était responsable de sa navigation et qu'il les a rencontrés à l'atterrissage. Tout ce que je savais C'est qu'à partir de ce jour ma mère a disparu. Elle m'avait laissé une somme d'argent pour continuer mes études, mais au bout de huit mois, et sans aucune nouvelle d'elle, j'ai décidé de partir en Angleterre. J'ai appris depuis ce jour-là. Ma mère avait été atteinte d'un accident vasculaire cérébral et avait été transportée à l'infirmerie de l'atelier par Crawley, qui l'y avait laissée et avait emmené ma sœur, qu'il faisait apparemment passer pour sa propre fille.

"Je ne le savais pas à l'époque, mais connaissant bien l'identité de mon père, je lui ai écrit pour lui demander de l'aide pour retrouver ma mère. Il a répondu en me disant que ma mère était morte, que Crawley le lui avait dit, et qu'il n'y avait aucune trace de Marguerite, ma sœur. Nous avons échangé beaucoup de lettres, puis mon père m'a demandé de venir lui servir de secrétaire et de l'assister dans sa recherche de Marguerite. Ce qu'il ne savait pas, c'est que la prétendue information de Crawley Sa fille, qu'il n'avait pas vue, était la fille qu'il cherchait. Je suis tombé dans la nouvelle vie et j'ai trouvé John Minute - je peux à peine l'appeler « père » - beaucoup plus supportable que je ne l'espérais - et puis un jour je j'ai trouvé ma mère."

"Tu as trouvé ta mère ?" dit Saul Arthur Mann, une lumière naissant sur lui.

"Votre recherche persistante de la petite maison de Silvers Rents n'a rien donné", sourit-il. "Si vous aviez pris l'échelle de bambou et traversé la cour à l'arrière de la maison pour entrer dans une autre cour, puis franchir la porte, vous seriez arrivé au numéro 16 de Royston Court, et vous auriez été considérablement surpris de trouver un intérieur beaucoup plus luxueux. que ce à quoi on aurait pu s'attendre dans ce quartier. À Royston Court, on parlait du numéro 16 comme de « la maison avec les infirmières » parce qu'il y avait toujours trois infirmières de service, et personne n'a jamais vu l'intérieur de la maison à part eux-mêmes. J'ai trouvé ma mère alitée et, en fait, si malade que les médecins qui l'ont vue ne lui ont pas permis de la déplacer de la maison.

« J'ai meublé cette masure pièce par pièce, généralement la nuit, parce que je ne voulais pas exciter la curiosité des gens de la cour, et que je ne voulais pas non plus que cette affaire parvienne aux oreilles de John Minute. "En raison de son amitié et de sa confiance, il y avait au moins une chance de sa réconciliation avec ma mère, et qu'elle désirait avant tout. Cela ne devait pas être le cas", dit-il tristement. "John Minute a été terrassé au moment où mes projets semblaient sur le point d'aboutir à un succès complet. Bizarrement, avec sa mort, ma mère s'est extraordinairement rétablie et j'ai pu l'emmener sur le continent. Elle avait J'ai toujours voulu voir la Hollande, la France, et en ce moment (il se tourna vers la jeune fille en souriant) elle est dans le châlet que vous occupiez pendant vos vacances.

M. Mann était abasourdi. Toutes ses théories favorites avaient été rejetées.

"Mais qu'en est-il de ta sœur ?" » demanda-t-il enfin.

Un regard noir se dessina sur le visage de Jasper Cole.

"Je sais maintenant où se trouve ma sœur", dit-il brièvement. "Pendant quelque temps , elle a vécu à Camden Town, au numéro 69 de Flowerton Road. À l'heure actuelle, elle est plus proche et est surveillée nuit et jour, presque aussi attentivement que les agents de M. Mann vous surveillent." Il sourit à nouveau à la jeune fille.

"Tu me regardes?" dit-elle, surprise.

Saul Arthur Mann est devenu rouge.

"C'était mon idée", dit-il avec raideur.

"Et une très excellente", acquiesça Jasper, "mais malheureusement vous avez nommé vos gardes trop tard."

M. Mann retourna à son bureau, le cerveau en ébullition, mais telle était son habitude qu'il ne se permettait pas de spéculer sur la situation nouvelle et étonnante avant d'avoir soigneusement noté tous les nouveaux faits qu'il avait recueillis.

Il était étonnant qu'il ait négligé le lien entre Jasper Cole et la femme de John Minute. Ses travaux ne cessèrent qu'à onze heures, et il s'apprêtait à rentrer chez lui, lorsque le commissionnaire qui lui servait de concierge vint lui dire qu'une dame désirait le voir.

"Une dame ? A cette heure de la nuit ?" dit M. Mann, perturbé. "Dites-lui de venir demain matin."

"Je le lui ai dit, monsieur, mais elle insiste pour vous voir ce soir."

"Quel est son nom?"

"Mme Merrill", dit le commissionnaire.

Saul Arthur Mann s'effondra sur sa chaise.

"Montrez-lui," dit-il faiblement.

Il n'a eu aucune difficulté à reconnaître la jeune fille, entrée timidement dans la pièce, comme l'original de la photographie qui lui avait été envoyée par l'agent Wiseman. Elle était habillée simplement et ne portait aucun ornement, et elle était indéniablement jolie, mais il y avait en elle une furtivité et une indécision nerveuse qui témoignaient de son appréhension.

"Asseyez-vous", dit gentiment M. Mann. "Que veux-tu que je fasse pour toi ?"

"Je suis Mme Merrill", dit-elle timidement.

— Ainsi a dit le commissionnaire, répondit le petit homme. "Tu es nerveux à propos de quelque chose ?"

"Oh, j'ai tellement peur !" dit la jeune fille en frissonnant. "S'il sait que je suis venu ici, il—"

"Vous n'avez rien à craindre. Asseyez-vous ici un instant."

Il se rendit dans la pièce voisine, dotée d'une connexion téléphonique secondaire, et appela May. Elle était sortie et il lui laissa un message urgent indiquant qu'elle devait venir, emmenant Jasper avec elle, dès son retour.

Lorsqu'il revint à son bureau, il retrouva la jeune fille telle qu'il l'avait laissée, assise sur le bord d'un grand fauteuil, tirant nerveusement son mouchoir.

"J'ai entendu parler de vous", dit-elle. « Il a parlé de vous une fois – avant que nous allions dans ce cottage du Sussex avec M. Crawley. Ils allaient amener une autre dame et je devais m'occuper d'elle, mais il… »

"Qui est-il'?" » a demandé M. Mann.

"Mon mari", dit la jeune fille.

"Combien de temps avez-vous été marié?" demanda le petit homme.

"Je me suis enfuie avec lui il y a longtemps", a-t-elle déclaré. "Ça a été une vie horrible ; c'était l'idée de M. Crawley. Il m'a dit que si j'épousais M. Merrill , il m'emmènerait voir ma mère et Jasper. Mais il était si cruel—"

Elle frémit encore.

"Nous vivons dans des maisons meublées dans tout le pays, et j'étais seul la plupart du temps, et il ne me laissait pas sortir seul ni faire quoi que ce soit."

Elle parlait d'un ton discret et monotone qui trahissait la proximité d'une grave dépression nerveuse.

"Comment s'appelle votre mari ?"

« Eh bien, Frank Merrill », dit la jeune fille avec étonnement ; "c'est son nom. M. Crawley m'a toujours dit qu'il s'appelait Merrill. N'est-ce pas ?"

M. Mann secoua la tête.

"Ma pauvre fille," dit-il avec sympathie, "je crains que vous n'ayez été grossièrement trompée. L'homme que vous avez épousé sous le nom de Merrill est un imposteur."

"Un imposteur ?" elle a hésité.

M. Mann hocha la tête.

"Il a pris le nom d'un homme bon et j'ai bien peur qu'il ait commis des crimes abominables au nom de cet homme", dit doucement l'enquêteur. "J'espère que nous pourrons vous débarrasser, vous et le monde, d'un grand méchant."

toujours sans comprendre.

"Il a toujours été un menteur", dit-elle lentement. "Il a menti naturellement et a si bien agi que vous l'avez cru. Il m'a dit des choses dont je sais qu'elles ne sont pas vraies. Il m'a dit que mon frère était mort, mais j'ai vu son nom dans le journal l'autre jour, et c'est pourquoi Je suis venu vers toi. Connais-tu Jasper ?"

Elle était aussi naïve et aussi simple qu'une écolière, et cela faisait mal au cœur du petit homme d'entendre la monotonie plaintive du ton et de voir la lèvre tremblante.

"Je te promets que tu rencontreras ton frère", dit-il.

"J'ai fui Frank", dit-elle soudain. "N'est-ce pas une mauvaise chose à faire ? Je ne pouvais pas le supporter. Il m'a encore frappé hier et il fait semblant d'être un gentleman. Ma mère avait l'habitude de dire qu'aucun gentleman ne traite jamais mal une femme, mais Frank le fait."

"Personne ne vous traitera plus mal ", a déclaré M. Mann.

"Je le déteste!" reprit-elle avec une soudaine véhémence. "Il ricane et dit qu'il va se trouver une autre femme, et... oh !"

Il vit ses mains remonter vers son visage et ses yeux fixes se tourner vers la porte avec effroi.

Frank Merrill se tenait sur le seuil et la regardait sans la reconnaître.

"Je suis désolé", a-t-il dit. "Vous avez un visiteur ?"

"Entrez", dit M. Mann. "Je suis vraiment content que tu aies appelé."

La jeune fille s'était levée et reculait contre le mur.

"Connaissez-vous cette dame?"

Frank la regarda attentivement.

"Eh bien, oui, c'est la fille du sergent Smith", dit-il en souriant. "Où diable étais-tu?"

"Ne me touche pas!" » souffla-t-elle et mit ses mains devant elle pour le repousser.

Il la regarda avec étonnement, et il tourna d'elle vers Mann. Puis il se tourna vers la jeune fille, le front plissé de perplexité.

"Cette fille", a déclaré M. Mann, "pense qu'elle est votre femme."

"Ma femme?" dit Frank en la regardant de nouveau.

« Est-ce une mauvaise blague ou quelque chose comme ça ? Est-ce que tu dis que je suis ton mari ? » Il a demandé.

Elle ne parla pas mais hocha lentement la tête.

Il s'assit sur une chaise et siffla.

"Cela complique un peu les choses," dit-il d'un ton neutre, "mais peut-être pouvez-vous expliquer ?"

"Je sais seulement ce que la fille m'a dit ", a déclaré M. Mann en secouant la tête. "J'ai bien peur qu'il y ait une terrible erreur ici."

Frank se tourna vers la fille.

"Mais est-ce que ton mari me ressemblait ?"

Elle acquiesça.

"Et est-ce qu'il s'appelait Frank Merrill ?"

de nouveau la tête.

"Où est-il maintenant?"

Elle hocha la tête, cette fois vers lui.

"Mais, grand Dieu," dit Frank avec un geste de désespoir, "vous ne suggérez pas que je sois l'homme ?"

"C'est toi l'homme", dit la jeune fille.

à nouveau un regard suppliant à son ami, et Saul Arthur Mann vit de la consternation et du rire dans ses yeux.

"Je ne sais pas ce que je peux faire", a-t-il déclaré. "Peut-être que si tu me laissais seul avec elle pendant une minute..."

"Ne fais pas ça ! Ne fais pas ça !" elle respirait. "Ne me laisse pas seule avec lui. Reste ici."

"Et d'où viens-tu maintenant ?" demanda Franck.

— De la maison où vous m'avez emmenée. Vous m'avez frappée hier, poursuivit-elle sans conséquence.

Franck rit.

"Je ne suis pas seulement marié, mais apparemment je bats ma femme", dit-il désespérément. "Maintenant, que puis-je faire ? Je pense que la meilleure chose à faire est que cette dame nous dise où elle habite et je la reprendrai et confronterai son mari."

"Je n'irai pas avec toi !" s'écria la jeune fille. "Je ne le ferai pas ! Je ne le ferai pas ! Vous avez dit que vous prendriez soin de moi, M. Mann. Vous l'avez promis."

La petite enquêtrice a constaté qu'elle était désemparée au point qu'un effondrement était imminent.

"Ce monsieur s'occupera également de vous", dit-il d'un ton encourageant. "Il est aussi désireux que quiconque de vous sauver de votre mari."

"Je n'irai pas", a-t-elle crié, "Si cet homme me touche", et elle a montré Frank, "je crierai."

On frappa de nouveau à la porte et Frank regarda autour de lui.

"Plus de visiteurs ?" Il a demandé.

"Tout va bien", a déclaré Saul Arthur Mann. "Il y a une dame et un monsieur pour me voir, n'est-ce pas ?" demanda-t-il au commissionnaire. "Faites-les entrer."

May arriva la première, vit le petit tableau et s'arrêta, sachant instinctivement tout ce qu'il présageait. Jasper la suivit.

La jeune fille, qui avait observé Frank, tourna un instant son regard vers les visiteurs et, à la vue de Jasper, se jeta à travers la pièce. En un instant, les bras de son frère l'entourèrent et elle sanglota sur sa poitrine.

"Ai-je le droit de demander ce que tout cela signifie ?" » demanda doucement Frank. "Je suis sûr que vous ignorerez mon irritation naturelle, mais j'ai tellement souffert et j'ai été victime de tant de surprises que je ne me sens pas enclin à accepter tous les chocs que le sort m'envoie dans un esprit de résignation joyeuse. Peut-être vous aurez la bonté d'élucider ce nouveau mystère. Est-ce que tout le monde est fou, ou suis-je le seul à souffrir ?

"Il n'y a aucun mystère là-dedans," dit Jasper, tenant toujours la fille dans ses bras. « Je pense que vous connaissez cette dame ?

"Je ne l'ai jamais rencontrée de ma vie," dit Frank, "mais elle persiste à me considérer comme son mari pour une raison quelconque. Est-ce un nouveau projet de ta part, Jasper ?"

"Je pense que vous connaissez cette dame", répéta Jasper Cole.

Frank haussa les épaules.

"Tu es presque monotone. Je répète que je ne l'ai jamais vue auparavant."

"Alors je vais t'expliquer," dit Jasper.

Il éloigna doucement la fille de lui pendant un moment, puis se tourna et murmura quelque chose à May. Ensemble, ils quittèrent la pièce.

"Vous avez été secrétaire de confiance de John Minute pendant un certain temps, Merrill, et à ce titre vous avez fait plusieurs découvertes. La découverte la plus remarquable a été faite lorsque le sergent Smith est venu faire chanter mon père. Oh, ne prétendez pas que vous ne le saviez pas. John Minute était mon père ! » » dit-il en réponse à l'expression d'étonnement sur le visage de Frank Merrill.

"Smith vous a mis dans ses confidences et vous avez épousé sa prétendue fille. John Minute a découvert ce fait, non qu'il sache qu'il s'agissait de sa propre fille, ni qu'il pensait que votre association avec ma sœur n'était rien de plus qu'une intrigue cachée. la dignité de son neveu. Vous ne pensiez pas que le moment était venu de lui donner un gendre, et vous avez donc attendu d'avoir vu son testament. Dans ce testament, il ne faisait aucune mention d'une fille, parce que l'enfant était né après le départ de sa femme et il refusait de reconnaître sa paternité.

"Plus tard, dans un doute quant à savoir s'il faisait une injustice à ce qui aurait pu être son propre enfant, il a tenté de la retrouver. Si vous aviez eu connaissance de ces enquêtes, vous auriez pu aider considérablement, mais en réalité vous ne l'avez pas fait. Vous l'avez épousée parce que vous pensiez obtenir une part des millions de John Minute, et lorsque vous avez découvert que votre plan avait échoué, vous avez planifié un acte de bigamie afin d'obtenir une partie de la fortune de M. Minute, dont vous saviez qu'elle serait considérable.

Il se tourna vers Saul Arthur Mann.

"Vous pensez que je n'ai pas été très énergique dans la poursuite de mes recherches pour savoir qui a tué John Minute ? Voilà l'explication de ma tolérance."

Il pointa du doigt Frank.

"Cet homme est le mari de ma sœur. Le ruiner eût signifié l'impliquer dans cette ruine. Pendant un temps , j'ai cru qu'ils étaient mariés et heureux. Ce n'est que récemment que j'ai découvert la vérité."

Frank secoua la tête.

"Je ne sais pas si je dois rire ou pleurer", a-t-il déclaré. "Je n'ai certainement pas entendu—"

"Vous en entendrez davantage", a déclaré Jasper Cole. "Je vais vous raconter comment le meurtre a été commis et qui était le mystérieux Rex Holland.

"Votre père était un faussaire. C'est connu. Vous aussi, vous falsifiez des signatures depuis que vous êtes un garçon. Vous étiez Rex Holland. Vous êtes venu à Eastbourne la nuit du meurtre et, par un ingénieux dispositif, vous avez obtenu des preuves en votre faveur. Faisant semblant d'avoir perdu votre ticket, vous avez laissé les agents de la gare vous fouiller et témoigner que vous n'aviez pas d'arme. Vous avez été déposé devant le portail de la maison de mon père et, dès que le chauffeur de taxi a disparu, vous avez fait vers l'endroit où vous aviez caché votre voiture dans un champ à une courte distance de la maison.

" Vous y étiez arrivé plus tôt dans la soirée, et aviez traversé les métaux jusqu'à Polegate Junction, où vous aviez rejoint le train. Comme vous aviez pris la précaution de faire couper votre billet retour à Londres, votre astuce n'a pas été découverte. Vous "Vous aviez récupéré votre voiture et vous êtes arrivé à la maison dix minutes après avoir été vu disparaître par le portail. De votre voiture, vous aviez pris le revolver et avec ce revolver vous avez assassiné mon père. Afin de vous protéger, vous avez jeté les soupçons " Il s'est lié d'amitié avec l'un des hommes les plus astucieux, " il inclina la tête vers M. Mann sans voix, " et par son intermédiaire, il a transmis ces soupçons à des milieux faisant autorité. C'est vous qui, après avoir dit adieu à Miss Nuttall à Genève, êtes réapparu. le soir même à Montreux et j'ai écrit une note contrefaisant mon écriture. C'est vous qui avez laissé une feuille de papier déchirée dans la chambre du numéro 69 Flowerton Road, également dans votre écriture.

"Vous n'avez jamais fait un pas sans que je vous suive. Mes agents ont été avec vous jour et nuit depuis le jour du meurtre. J'ai attendu mon heure, et elle est maintenant arrivée."

Frank poussa un long soupir et prit son chapeau.

« Demain matin, j'aurai une histoire à raconter, dit-il.

"Tu es un excellent acteur," dit Jasper, "et un excellent menteur, mais tu ne m'as jamais trompé."

Il ouvrit la porte.

"Voilà votre route. Vous avez vingt mille livres que mon père vous a laissées. Vous avez environ cinquante-cinq mille livres que vous avez enterrées la nuit du meurtre. Vous vous souvenez de la truelle du jardinier dans la voiture ?" dit-il en se tournant vers Mann.

"Je vous donne vingt-quatre heures pour quitter l'Angleterre. Nous ne pouvons pas vous juger pour le meurtre de John Minute ; vous pouvez encore être jugé pour le meurtre de vos malheureux serviteurs."

Frank Merrill ne fit aucun mouvement vers la porte. Il se dirigea vers l'autre bout de la pièce et leur tourna le dos. Puis il se tourna.

« Parfois, dit-il, j'ai l'impression que cela ne vaut pas la peine de continuer. Tout cela a été plutôt pénible.

Jasper Cole bondit vers lui et le rattrapa alors qu'il tombait. Ils l'ont couché et Saul Arthur Mann a appelé d'urgence un médecin au téléphone, mais Frank Merrill était mort.

«Je le savais», a déclaré l'agent Wiseman lorsque l'histoire lui est venue à l'esprit.

LA FIN

Milton Keynes UK
Ingram Content Group UK Ltd.
UKHW010802110624
444053UK00004B/416